VERLAINE

Photo couverture : Collection Sirot.

ANTOINE ADAM
Professeur à la Sorbonne

VERLAINE

Nouvelle édition, mise à jour

CONNAISSANCE DES LETTRES

HATIER 8, RUE D'ASSAS, PARIS 6

La vie

1 AVANT RIMBAUD

La famille

Il naquit à Metz le 30 mars 1844. Son père s'appelait Nicolas-Auguste Verlaine. Capitaine adjudant-major au 2e Régiment du génie, celui-ci avait, à la naissance de son fils, quarante-six ans. Sa mère s'appelait Élisa-Julie-Josèphe-Stéphanie Dehée. Elle avait, en 1844, non pas trente-deux, mais trente-cinq ans, étant née le 23 mars 1809. Les parents s'étaient mariés à Arras le 15 décembre 1831.

L'enfant reçut en naissant les prénoms de Paul et de Marie. Il était le premier né et resta fils unique. Avant sa naissance, Mme Verlaine avait trois fois espéré d'être mère, et chaque fois avait été déçue. Si le récit du poète est exact, elle avait conservé dans trois bocaux le souvenir de sa triple déception.

Les Verlaine étaient une vieille famille de l'Ardenne belge et les actes notariés permettent de retrouver son histoire depuis le XVIe siècle. Le grand-père du poète avait été notaire à Bertrix. Sa femme, une Grandjean, devenue veuve, s'était retirée tout près de là, à Jehonville. Une de ses sœurs habitait Paliseul. Les utiles recherches de M. Le Fefve de Vivy ont révélé que le notaire Verlaine s'était acquis une déplorable réputation par ses opinions extrêmes, par la violence de ses propos et par son intempérance. Mais il n'est pas moins important de noter combien sa famille et celle de sa femme étaient traditionalistes et chrétiennes de convictions et de mœurs. Familles cléricales, serait-on presque tenté de dire. La famille Grandjean comptait neuf prêtres, tous proches parents du capitaine. On observe, parmi les amis de Verlaine, un professeur à l'Université de Louvain, un vicaire général de Namur, un directeur au Grand Séminaire de la même ville. Ces prêtres ont joué, dans la vie du poète, dans ses moments de crise surtout, un rôle décisif qu'on a longtemps ignoré.

La famille Dehée était originaire de l'Artois. Des recherches toutes récentes, dont la *Revue des Sciences humaines* a recueilli les résultats, nous ont enfin permis de mieux la connaître. C'étaient, au XVIIIe siècle, des *olieurs*, ou fabricants d'huile, établis à Arras. Vers 1742 ils vinrent habiter, à quelques lieues de cette ville, au village de Fampoux. Ils y possédaient des terres et un moulin « à usage de tordre l'huile ». Au moment de la Révolution, l'arrière-grand-père de Verlaine, Pierre-Joseph Dehée, fut inscrit sur la liste des gros fermiers de la localité. Tandis que l'aîné de ses enfants continuait, à Arras, le métier de fabricant d'huile, un autre fils, Julien-Joseph, devint cultivateur à Fampoux. Élu officier public en l'an IV, il resta maire de la commune jusqu'en 1803. Élisa, la mère du poète, est la fille de ce Julien-Joseph Dehée. La famille était sans aucun doute honorable. Il est pourtant curieux d'observer qu'un cousin d'Élisa, Pierre-François Dehée, est signalé dans une enquête de police en 1867 comme « un de ces personnages désœuvrés, ayant un peu appris et ne sachant rien, se croyant tout permis dans la commune de Fampoux : homme dangereux tant en

C'était une femme d'assez haute taille, au visage agréable et fin... (p. 8)

Le capitaine était grand, sec et droit, l'air martial et l'aspect habituellement austère... (p. 8)

politique qu'en administration ». Lorsqu'il passait ses vacances à Fampoux, Verlaine a sans doute fréquenté cet inquiétant cousin.

Les Verlaine, aussi bien que les Dehée, étaient de condition aisée. Le capitaine Nicolas Verlaine possédait un capital de 400 000 francs. De mauvais placements lui firent perdre une partie de sa fortune, mais sa belle-fille prétend qu'en 1870 Élisa Verlaine possédait encore 200 000 francs. Une cousine du futur poète avait épousé le propriétaire d'une importante sucrerie à Lécluse, qui, pour parler comme Verlaine, gagnait 80 000 francs par an à tirer du sucre à canne de ses betteraves.

Le capitaine était grand, sec et droit, l'air martial et l'aspect habituellement austère. Il donnait l'impression d'être fort têtu, un peu sévère et bougonnant. Fut-il, comme l'ont pensé certains témoins, assez ferme pour en imposer à son fils? Fut-il au contraire, comme le prétendait la famille, indulgent jusqu'à la faiblesse pour cet enfant difficile? Ce qui est sûr, c'est qu'il s'en fit profondément aimer.

Élisa Dehée était, au physique, une femme d'assez haute taille, au visage agréable et fin. Femme d'officier et fille de propriétaire terrien, elle affectait volontiers une froide dignité. Mais Germain Nouveau, qui l'a vue longuement à Arras, l'a dite gaie comme un pinson et vive comme la poudre. Ernest Delahaye, lui aussi, a parlé d'elle en termes délicats et justes. Elle était, dit-il, aimante, puérile et imprudente. Les Verlaine de Belgique ne l'aimaient pas. Ils disaient d'elle qu'elle était peu intelligente, tête légère et superstitieuse. Peut-être était-elle un peu plus qu'économe, et sa belle-fille a soutenu que sous son aspect de bourgeoise correcte, elle cachait un fond de vieille paysanne intéressée et rancunière. Mais l'histoire gardera le souvenir de son infinie patience et du long martyre qui devait aboutir à sa mort misérable, dans le taudis de la cour Saint-François.

L'enfance, la jeunesse

Jusqu'en 1851, le capitaine Nicolas Verlaine changea plusieurs fois de résidence. Il tint garnison à Montpellier. Il était à Nîmes quand éclatèrent les troubles de 1848. Le petit Paul le suivit dans ses déplacements. L'officier revint à Metz et c'est là qu'il se trouvait lorsqu'il donna sa démission de l'armée. On ignore le motif de cette décision : il semble qu'il tenait fort à habiter Paris et qu'il brisa sa carrière d'officier lorsqu'il comprit qu'il devait s'attendre à finir sa vie dans une garnison de province. Après qu'il eut donné sa démission, il vint habiter aux Batignolles.

En 1853, le jeune Paul fut confié à l'Institution Landry, 32, rue Chaptal. Il y resta neuf ans (1853-1862). Entré en neuvième, il y fit d'abord ses classes enfantines. Puis, à partir de 1855, comme les autres élèves de l'Institution, il suivit les classes du Lycée Bonaparte, le Lycée Condorcet actuel.

Si nous voulons nous le représenter à cette époque de sa vie, commençons par écarter le récit de ses *Confessions*. Verlaine n'y raconte que des anecdotes insignifiantes. Il y fait des aveux où l'on démêle mal la part de l'humilité et celle de la vantardise, où l'on devine à coup sûr trop de pose. Il avait été un enfant charmant et tyrannique. Jusqu'à dix ans il se refusait à dormir si sa mère n'était près de lui. Il aimait à jouer près de ses parents et passait des heures à dessiner. Il plaisait, nous dit-on, à toute la famille, tant il se montrait affectueux et tendre. On oubliait qu'il n'était pas beau. On pardonnait à ses caprices. Il grandissait, entouré de l'adoration de sa mère et d'une cousine qu'elle élevait chez elle, Élisa Moncomble, orpheline plus âgée que Paul de huit ans, et qui gâtait le garçonnet. L'autorité du père était un peu débordée. Il est probable, et l'on disait à Paliseul et à Jehonville, que si le capitaine mit Paul en pension à neuf ans, c'est qu'il s'était rendu « impossible ».

Plus tard Verlaine s'est vanté d'avoir été, au lycée, un fort mauvais élève. L'examen de son classement au cours de ces sept années permet de voir très nettement la vérité. Il avait, jusqu'en quatrième, travaillé avec application et succès. C'est à ce moment seulement qu'on observe un fléchissement qui s'accentue au cours des deux années suivantes. En troisième, il cesse de travailler même dans ses matières préférées, le latin et le français. En seconde, il oscille entre 20e et 50e sur 59 élèves, lui qui avait été, à la fin de sa cinquième, classé 6e sur 71. Il fallut la perspective des épreuves du baccalauréat pour le décider à un effort plus sérieux durant son année de rhétorique. Il fut reçu bachelier le 16 août 1862. Il avait, pour réussir, « travaillé comme un nègre, » écrivait-il alors à un ami. Mais une boule noire en physique avait failli compromettre ce redressement de la dernière heure.

Si nous consultons d'autres documents authentiques, des portraits de Verlaine qui remontent à cette époque, ils confirment les conclusions qui se dégagent du dossier scolaire de l'enfant. Une photographie prise en 1857 présente un garçonnet bien moins laid qu'on ne le dit, l'air sage et réfléchi. Une autre photographie le montre en lycéen. Le front est haut; la figure, allongée, n'est pas sans distinction. Les yeux surtout sont intéressants : pensifs et, dirait-on volontiers, d'une gravité passionnée. Mais voici que vers quinze ans, l'aspect physique change, comme changent les notes de l'écolier. Un dessin de Cazals, fait plus tard d'après une photographie de 1859, révèle un potache d'allure cynique et d'une laideur déplaisante. La même impression se dégage d'un autre dessin, fait sur une photographie de 1860. On s'explique maintenant les phrases du professeur de seconde, l'historien Perrens : « une tête hideuse qui faisait penser à un criminel abruti... l'élève le plus malpropre de corps et d'habit du lycée Bonaparte ».

Verlaine a raconté qu'il avait perdu la foi dans les années qui suivirent sa première communion. Admettons que ce soit vrai. Mais ce qu'il n'a pas dit, c'est qu'il continuait de se confesser, de remplir, quand il se retrouvait dans le cercle de famille, ses devoirs religieux. Edmond Lepelletier, son camarade de lycée, soutient qu'il ne croyait plus en Dieu. Mais il est obligé d'admettre que son ami suivit les prédications du Père Monsabré et du Père Minjard. Une pièce de vers que le jeune lycéen écrivit en 1861, *Aspiration*, exprime des préoccupations religieuses. Une lettre de l'année suivante prouve de la fraîcheur d'âme, un idéalisme un peu naïf, une sensibilité morale encore vive.

A rapprocher tous ces traits, on discerne en quel sens se développe le jeune homme. Ce n'est pas au lendemain de sa première communion, c'est quand il était déjà élève de quatrième et quand il avait quatorze ans, c'est alors qu'il s'est profondément transformé, qu'il est devenu le potache sceptique et ricaneur dont il a parlé plus tard. Il s'amuse à lire des ouvrages obscènes et peut-être à rimer des vers orduriers. Mais il garde intacts, au fond de lui-même, un rêve d'innocence puérile, une nostalgie de la pureté perdue, qui se lient chez lui à la vie du foyer, à l'amour dont l'enveloppent un père et une mère admirés et chéris, à ces traditions de dignité et de moralité qu'il a observées dans ses deux familles d'Ardenne et d'Artois. Chose curieuse, un camarade de lycée a discerné cette double personnalité du jeune homme, ces postulations contraires vers l'idéal et vers l'ordure. Un dessin qu'il fit alors représente Paul Verlaine en « astronome (*sic*) qui tombe dans un égout ». Le futur poète de *Parallèlement* est déjà marqué dans cette caricature et sa légende.

Avant le mariage

Bachelier, Paul Verlaine aborda les études de droit, en vue de l'examen d'entrée au ministère des Finances. Il prit une inscription à la Faculté, et suivit quelques cours de droit français et de droit romain. Mais il trouva plus amusantes les heures passées dans des « caboulots » de la rue Soufflot. Sa négligence à suivre les cours émut son père. Celui-ci déclarait partout qu'il fallait « caser Paul ». Il le garda chez lui six mois. Un ancien officier de ses amis trouva pour le jeune homme une situation provisoire à la Compagnie d'assurances *L'Aigle et le Soleil réunis*, rue du Helder. Il n'y resta que le temps d'obtenir une place aux bureaux de la Préfecture de la Seine. D'abord employé à la mairie du IXe arrondissement, rue Drouot, il passa ensuite à l'Hôtel de Ville. Son travail consistait à mandater le traitement des ecclésiastiques de Paris. Labeur sans joie, mais aussi sans fatigue. Ses journées, commencées tard, interrompues pendant deux heures pour le repas de midi, s'achevaient à quatre heures. Il fut un expéditionnaire médiocre et ne prit même pas la peine d'affronter les très faciles épreuves qui lui eussent permis d'occuper des postes moins subalternes. Il finit par devenir commis-rédacteur. Il avait gagné, pour ses débuts, 1 800 francs par an.

La santé de son père était devenue mauvaise. Le capitaine souffrait depuis longtemps de rhumatisme articulaire. En juin et juillet 1862 il fut sérieusement malade. En mars 1863 se déclara une cataracte de l'œil gauche : l'autre œil était menacé. Il fit un jour une chute malheureuse. Plusieurs attaques d'apoplexie suivirent, qui en moins de deux ans le menèrent au tombeau. Une congestion cérébrale l'emporta le 30 décembre 1865. Paul alla, avec sa mère, occuper un appartement beaucoup plus modeste, au 26 de la rue Lécluse.

Cette période qui commence en 1863 et va jusqu'en 1869, nous la devinons décisive. De précieux témoignages nous viennent de Belgique. Verlaine avait passé souvent ses vacances de lycéen et il continuait d'aller faire de courts séjours à Paliseul et à Jehonville. Il y avait de bons amis, J.-B. Dewez qui plus tard devint prêtre, Hector Perrot, d'une famille très liée à la sienne. Il y retrouvait ses vieilles tantes, la tante Grandjean, la tante Évrard. Ces braves gens s'inquiétaient pour lui. En septembre 1863, l'abbé Delogne, ancien curé de Paliseul, récemment nommé doyen de Bouillon, écrivait à son propos : « Mon petit ami est venu me voir. J'ai longuement conversé avec lui. Sa nature est restée bonne, je crois. J'ai d'autant plus de raisons d'en juger ainsi qu'il m'a avoué certaines faiblesses et qu'il m'a confié sa peur de Paris. La grande ville convient peu à sa pauvre volonté! » Mais à cette date, le capitaine s'entêtait à vouloir, pour son fils, une carrière brillante et ne la concevait qu'à Paris. Après sa mort, aucune décision ne fut prise.

N'imaginons pas surtout un jeune affranchi qui, froidement, a décidé de vivre sa vie intensément, qui rejette les lois morales et ne veut y voir qu'imposture. Verlaine est, à cette époque, l'exemple même du bon jeune homme qui tourne mal, qui manque de volonté et ne sait pas résister à certains entraînements. L'éducation trop tendre qu'il a reçue porte ses fruits. Sa femme en parlera plus tard en des termes qui ne manquent pas de pittoresque. La mère de Paul, dit-elle, avait habitué son fils à coucher avec un bonnet de coton, comme un vieux ou un malade. Elle l'emmitoufflait de cache-nez très laids. Lorsqu'il sortait, elle l'accablait de recommandations : attention aux voitures, aux rues désertes, aux maisons en construction. Elle le traitait en enfant de six ans et avait, dit l'épouse déçue, fait de son fils un être pusillanime, égoïste et ridicule. Verlaine écrivait alors à un ami : « Tu me connais, plein de flanelle, cache-nez, coton dans l'oreille. » Sans le savoir, il confirmait dans cette phrase les griefs de Mathilde.

Ses camarades ne soupçonnaient peut-être pas jusqu'où allaient ces travers d'enfant gâté. Ils voyaient en lui, selon le mot de Lepelletier, le plus doux, le plus aimable des compagnons. Ne disons pas que son témoignage est suspect. Lorsque Sivry parla de son ami Verlaine à sa sœur Mathilde, il le décrivit en ces termes : « C'est un garçon très doux, très bon, qui adore sa mère, avec laquelle il habite. » Delahaye, lui aussi, qui connut le poète en 1871, a parlé de sa douceur, de sa facilité à céder aux volontés des autres.

Mais deux traits viennent modifier cette physionomie d'un jeune homme doux et bon. D'abord il est sujet à des colères brusques et d'une violence maladive. C'est encore Delahaye qui a noté, chez son ami, ces imprévisibles fureurs. Verlaine, a-t-il dit, cédait beaucoup et longtemps. Puis tout à coup, las d'obéir à la volonté des autres, il s'énervait et éclatait, avec la force d'un ressort trop tendu. Ensuite, et surtout, Verlaine s'était mis à boire.

Il avait commencé, au dire de Lepelletier, en 1863. Entre l'Hôtel de Ville et les lointaines Batignolles, les occasions s'offraient nombreuses de s'arrêter et de se rafraîchir dans un café. Le jeune bureaucrate ne manquait pas d'argent de poche, car son père lui laissait pour ses distractions la moitié de son traitement. En fait pourtant, il est probable que les mauvaises habitudes ne s'établirent et ne prirent leur terrible aspect qu'un peu plus tard. Verlaine a dit que deux événements l'avaient profondément bouleversé : en 1865, la mort de son père; en février 1867 celle, presque subite, de sa cousine Élisa. Il avait sans aucun doute beaucoup aimé cette jeune femme qui avait été pour lui une grande sœur ou une très jeune maman. Il l'a plus tard évoquée :

> Blonde et rose, au profil pourtant grave et rêvant
> Avec de beaux yeux bleus...

Il n'a jamais oublié sa « voix d'or vivant », son « frais timbre angélique », et s'il faut croire J.-H. Bornecque, une idylle s'était même ébauchée entre le jeune homme et sa cousine déjà mariée : un grand amour impossible dont les *Poèmes Saturniens* seraient l'écho. Elle avait épousé un Dujardin, propriétaire d'une sucrerie à Lécluse. A la suite d'un accouchement, elle fut emportée en quelques jours (16 février 1867). Verlaine, averti trop tard, arriva à Lécluse au moment où le convoi funèbre prenait la route du cimetière. C'est à la suite de ce malheur, a-t-il dit, qu'il commença de boire avec excès de l'absinthe, et non plus la bière dont il s'était jusqu'alors contenté.

Mais ce qu'il faut bien voir, c'est qu'en dehors de ces crises, Verlaine est un jeune homme aux sentiments délicats et aux préoccupations élevées. Il suit assidûment les concerts Pasdeloup, il visite les musées, les salons de peinture. Il se lie avec des collègues de l'Hôtel de Ville, Mérat, Valade, Armand Renaud, passionnés de poésie comme lui. Sa correspondance avec Lepelletier le montre affamé de littérature et prouve qu'il continue d'apporter dans ses lectures des soucis de moralité. Il s'amuse peu. Jamais on ne le voit se promener, une femme à son bras. Est-il vrai, comme le prétend Delahaye, qu'il ait éprouvé une passion malheureuse pour une jeune femme rousse? Est-il vrai qu'il ait été aimé d'une jolie Hongroise qui le laissa indifférent? A coup sûr les femmes tiennent peu de place dans sa vie. Lorsque par aventure, il se laisse entraîner dans une partie où règne la joie vulgaire, il s'ennuie et prend sans le vouloir une mine lugubre. Il a des amitiés ardentes pour de jeunes camarades. On a cité un cousin à Lécluse, on a parlé de Lucien Viotti. Il doit être bien entendu que sur le caractère de ces amitiés, personne ne sait rien, personne n'a le droit d'insinuer qu'elles furent impures, et que le contraire est infiniment probable. Lorsque les sens parlent trop fort, Verlaine les apaise en des aventures sans prestige. On ne peut affirmer, mais il est permis de soupçonner que ce n'était pas nécessairement avec des filles.

A le voir parmi ses amis, on le jugerait sans doute un garçon fort équilibré, un peu secret peut-être, mais gai suffisamment. Et peut-être aurait-on raison. Mais plus probablement cet équilibre et cette gaieté cachent une vraie détresse. La maladie et la mort du père, la mort d'Élisa ont atteint profondément le jeune homme. Il souffre de sa laideur et se sent un solitaire. Comment expliquer sans cette tristesse secrète son goût pour l'humour macabre, le caractère lugubre que prennent volontiers ses plaisanteries et surtout les fureurs homicides qui éclatent chez lui lorsque l'ivresse le tient?

Verlaine, en 1869, est en plein désarroi. Dans une lettre de juillet il se dit extrêmement souffrant, enfoncé en un ennui monstrueux, incapable de composer des vers. Il avoue l'état déplorable de ses nerfs. D'autre part il a parlé plus tard, dans une lettre à Victor Hugo, de la voie heureuse et calme où il était entré par son mariage « après d'atroces angoisses ». Émouvante formule, et qui invite à soupçonner, à l'époque qui précède les fiançailles, une crise infiniment douloureuse.

Le témoignage le plus précis que nous ayons sur cette période nous vient encore des Ardennes. Au début de juin, la *Correspondance* nous apprend que Verlaine quitta Paris subitement parce qu'il était malade :

il alla se reposer à Fampoux. Mais une lettre écrite par une Ardennaise le 18 juillet nous révèle qu'en réalité le jeune homme avait dû s'éloigner à la suite d'une dispute dans un café, et que parti dans un coup de tête, il était revenu quatre jours plus tard dans un autre coup de tête. Quelques semaines plus tard, nouvelle crise. Une nuit, il revient à cinq heures du matin, ivre. Il se jette sur sa mère. Il crie qu'il va la tuer et qu'il se tuera ensuite. Mme Verlaine lance un télégramme à sa sœur Marie-Rose Dehée. Celle-ci est une femme énergique, qui en impose à son neveu. Il reste calme pendant les deux jours qu'elle passe à Paris. Mais deux jours plus tard, il recommence. Il rentre à une heure du matin, avec un ami. Il menace à nouveau sa mère; il brandit un sabre sur sa tête. L'Ardennaise qui assiste à cette scène, Victoire Bertrand, lui arrache le sabre, aidée par le camarade inconnu. Le calme ne revient qu'après huit heures de folie furieuse. Cette fois encore, Mme Verlaine emmène son fils à Fampoux; on allègue une prétendue maladie pour expliquer ce nouveau départ. « Je crois, écrivait Victoire Bertrand, que s'il continue, un jour ou l'autre, il fera un crime. »

Dans la famille, on commençait à s'émouvoir. Le 22 mars, la tante Grandjean, à Paliseul, était morte. Paul était arrivé le lendemain. Sa tenue avait été à ce point scandaleuse qu'on avait décidé d'agir. Au début d'avril on l'avait rappelé, sous prétexte de régler les détails de la succession. Les parents, les amis, le curé, le notaire s'étaient entendus pour le chapitrer. On le pressa de se marier dans le pays et de s'y fixer. Il parut accepter. Il se confessa. Il était question d'une cousine dont le « caractère énergique » était connu. La seule pensée d'affronter cette cousine le décida à demander la main d'une jeune fille à peine entrevue, demi-sœur de son excellent ami Charles de Sivry.

Les fiançailles

Ces faits, qui ne sont connus que depuis une vingtaine d'années, éclairent le récit que Verlaine avait laissé de ses fiançailles. Ils permettent de mesurer à quel point il a simplifié et par conséquent déformé le développement des faits. Le geste qu'il a décrit tout spontané signifiait ou du moins signifia d'abord pour lui le moyen de se dérober à un projet dont il ne voulait pas.

Les Mauté étaient originaires de Nogent-le-Rotrou. Verlaine a prétendu que son beau-père était un ancien notaire de province. Mais la fille rejette ce titre honorable comme s'il était une injure. La famille avait des prétentions et se faisait appler Mauté de Fleurville. Elle habitait une maison de deux étages au 14 de la rue Nicolet. Une grille et un petit jardin la séparaient de la rue. Une porte, sur le côté, pour les visiteurs, une grande porte pour les voitures, deux pavillons formant écurie et remise donnaient à l'ensemble un aspect d'hôtel particulier.

Théodore Mauté ne nous apparaît qu'à travers les témoignages de sa fille et de son gendre. Au dire de la première, il était mondain, grand chasseur, grand danseur, souvent absent de chez lui et Mathilde n'a pas craint de parler de son « égoïsme habituel ». Verlaine, qui l'eut en horreur, a vu en son beau-père « un bourgeois prétentieux et serré, frotté d'artisterie et de littérature comme un chapon de salade le serait d'ail ». En revanche il garda toute sa vie un souvenir très doux de celle qui avait été quelques années sa bellemère, « la meilleure et la plus intelligemment tolérante des femmes », a-t-il écrit. Ce qu'il ne dit pas et qu'on devine sans peine, c'est que le père est un fantoche, dont les allures solennelles cachent mal la faiblesse, et que les décisions, chez les Mauté, sont prises par la mère et la fille.

Celle-ci s'appelait Mathilde. Elle était née à Nogent-le-Rotrou le 17 avril 1853. Elle avait donc, en 1869, seize ans. Elle était probablement jolie et donnait l'illusion d'être intelligente parce qu'elle jouait du piano, barbouillait des albums de dessins et rimait des vers mirlitonesques. Depuis l'année précédente, son demi-frère Charles de Sivry l'emmenait chez Nina de Callias, et elle allait souvent dans une famille de sculpteurs, les Bertaux. Au cours d'une visite rue Nicolet, où il était allé voir Charles de Sivry, Verlaine remarqua pour la première fois la jeune fille. Quelques semaines plus tard, de Fampoux où il s'était rendu après l'affreuse scène que nous a rapportée Victoire Bertrand, il écrivit à Sivry pour lui dire son désir d'épouser sa demi-sœur. Sivry lui répondit qu'il pouvait espérer et vint lui-même passer quelquesjours à Fampoux. Après les vacances, au mois d'octobre 1869, Verlaine se présenta rue Nicolet. Sa demande fut agréée.

On voudrait comprendre cette décision étonnante. Certains ont expliqué l'attitude des Mauté par des considérations d'intérêt. Bourgeois sans fortune, ils auraient été heureux de marier leur fille à un jeune homme, fils unique, et qui avait « de belles espérances ». C'est là, sans doute, une injustice. Plutôt que des calculs, on devine un geste inconsidéré. Mathilde est une enfant gâtée, à qui la gloire des poètes tourne la tête. Elle ne voit même pas la laideur de son fiancé, mais seulement sa silhouette fine, souple, modeste, distinguée, telle que la verra Delahaye deux ans plus tard. Autour d'elle, on dit que le jeune homme sera célèbre un jour. Elle entraîne sa mère, et le complot de ces deux femmes, déraisonnables et charmantes, a raison des résistances du père. Celui-ci avait annoncé qu'il ne céderait pas avant que sa fille eût dix-neuf ou vingt ans. Cette résolution ne tint pas. Il fut entendu que le mariage aurait lieu au mois de juin 1870.

Quels qu'aient été au début les sentiments du jeune homme, il se montra très épris et sa résolution de revenir à une conduite décente fut sincère. Au témoignage même de Mathilde, il fut tout le temps des fiançailles « doux, tendre, affectueux et gai ». Il s'appliquait à ne plus jurer. En principe il avait cessé de fréquenter les cafés. Une fois au moins il lui arriva de s'enivrer : du moins réussit-il à cacher cette rechute. Chaque mardi, il recevait chez lui ses meilleurs amis. Victoire Bertrand y a vu Coppée, Valade, L.-X. de Ricard, les frères Cros, Lepelletier. A partir de la fin de 1869, Mathilde assista à ces réunions. Chabrier et Sivry jouaient au piano. S'il fallait en croire les *Mémoires* de celle qui était alors la fiancée du poète, Villiers lut devant elle *Elën* et *Morgane* : affirmation un peu étonnante puisqu'*Elën* avait paru au mois de janvier 1865 et *Morgane* au mois de mars 1866. Verlaine disait dans *la Bonne Chanson* son amour, ses résolutions, son rêve d'une vie de nouveau heureuse et calme.

Le mariage avait d'abord été fixé au 29 juin 1870. Une maladie de Mathilde en retarda la célébration. Puis Mme Mauté tomba malade à son tour. Le contrat avait été passé les 23 et 24 juin chez Me Taupin, notaire à Clichy. Il est important d'en noter les clauses principales. Il était fondé sur le régime de communauté réduite aux acquêts. Verlaine apportait 20 000 francs de biens propres, 6 960 francs de la succession de la tante Grandjean, une dot de 20 000 francs constituée par Mme Verlaine en avancement d'hoirie. L'apport de Mathilde était dérisoire : 4 200 francs de capital, le mobilier et le linge évalués 5 974 francs, les bijoux et cadeaux évalués 1 200 francs et 50 francs de rente 3 %. Il est vraisque les Mauté s'étaient engagés, hors contrat, à donner au jeune ménage, chaque année, une somme égale à celle que Verlaine gagnait à l'Hôtel de Ville. S'il faut en croire Mathilde, le traitement de son mari s'élevait alors à 3 000 francs.

Collection Matarasso

◀ *Une photo, prise en 1857, présente un garçonnet bien moins laid qu'on ne le dit, l'air sage et réfléchi*... (p. 10)

Sa nature est restée bonne, je crois. J'ai d'autant plus de raisons d'en juger ainsi qu'il m'a avoué certaines faiblesses... (p. 13)
▼

Doublé par la somme qu'y joignait les parents de la future, augmenté des intérêts du capital de Paul, ce traitement assurait au jeune ménage une très confortable aisance. Les perspectives étaient belles. Verlaine devait normalement jouir plus tard, à la mort de sa mère, d'un revenu de dix mille francs.

Le mariage, la guerre, la Commune

Le mariage faillit n'avoir pas lieu. La guerre avait éclaté. On venait d'apprendre les premiers désastres. Paris commençait à s'agiter. Le 10 août, un décret appela sous les drapeaux les célibataires de la classe 1864, celle de Verlaine. Mais on tint compte du fait que les bans avaient été publiés, que la date du mariage était déjà fixée. Le lendemain 11 août, Verlaine et Mathilde se marièrent. Le poète Valade était témoin du marié. Paul Foucher fut celui de Mathilde. Le jeune ménage alla loger au n° 2 de la rue du Cardinal-Lemoine, dans un joli appartement qui donnait sur le quai de la Tournelle.

Vint le siège. Ceux qui sont décidés à ne voir dans la vie de Verlaine qu'une succession de turpitudes, ne veulent pas admettre qu'il ait été un moment sensible aux entraînements du patriotisme. Alors qu'il lui était possible d'éviter toute participation active à la défense, il s'engagea au 160e bataillon et monta la garde sur les remparts, entre Montrouge et Vanves. C'est qu'il y avait en lui de la naïveté, de l'étourderie, et comme aurait dit Stendhal, de l'espagnolisme. Il le savait et dans ses lettres il parlait déjà de sa tête folle et de ses « allures de hanneton ». Il disait encore de lui-même : « jamais fatigué d'être inattentif et naïf ». Mais ces poussées d'héroïsme ne duraient pas. Bien vite les longues heures passées dans l'humidité et le froid lui parurent intolérables. Il essaya de s'y soustraire. Puis, très réellement, il tomba malade. On l'a nié, mais sans raison, et une lettre de Verlaine à Victor Hugo, en décembre 1870, parle de sa gorge « littéralement en flammes ».

Malheureusement les mauvaises habitudes revinrent. Verlaine recommença de boire. Il y eut quelques scènes, assez rares d'ailleurs et sans violences. Les occasions étaient nombreuses et les excuses s'offraient d'elles-mêmes : l'inaction, l'ennui, les interminables stations dans la boue et la neige des remparts. Une fois, pendant l'hiver, Mathilde s'en retourna chez sa mère. Puis elle pardonna et revint. Le ménage ne manquait pas d'ailleurs d'occupations qui aidaient à la bonne entente. Il recevait beaucoup; il accueillait les Cros, Régamey, Pelletan, Villiers, Valade, Cabaner. Ou bien on allait en visite chez les Burty, derrière les Gobelins, et Mathilde était fière d'approcher Edmond de Goncourt, Ernest d'Hervilly et Bracquemond.

Dans le groupe que formaient Verlaine et ses amis, on était patriote. On détestait, non seulement l'Empire, mais les forces conservatrices, ces prétendues élites qui venaient de jeter le pays dans la plus lamentable aventure. Bazaine et les « capitulards », le corps des officiers, vaniteux et incapable, faisaient horreur à ces braves gens, et le spectacle de l'impéritie et de la lâcheté des pouvoirs civils avait développé chez eux un esprit révolutionnaire. Verlaine, avant la guerre déjà, était hébertiste et trouvait tièdes les jacobins. C'est dire que lorsqu'éclatèrent les événements de la Commune, il fut de cœur avec le peuple soulevé. Il le fut comme Mérat, comme Lepelletier, comme Blémont, comme Louis-Xavier de Ricard. Émile Bergerat a raconté qu'il l'avait vu, chez Lemerre, préconiser la Commune et vanter les hommes de l'Hôtel de Ville. Mais n'a-t-il pas vu aussi Villiers de l'Isle-Adam, portant le képi de capitaine de la garde nationale, essayer de rallier les Parnassiens à la cause communaliste? Verlaine, il est vrai, semblait à Bergerat plus inquiétant, plus violent. Il parlait de trancher des têtes et terrifiait Anatole France par ses propos.

Lorsque Thiers ordonna aux fonctionnaires de rejoindre les Versaillais ou du moins d'arrêter leurs services, Verlaine ne tint pas compte de cet ordre extravagant. Il continua d'aller à l'Hôtel de Ville. On sait mal les fonctions qu'il y remplit. On dit communément que son rôle se bornait à lire chaque jour les journaux et à relever les articles les plus intéressants. Mais Delahaye, qui reçut ses confidences, lui attribue des fonctions plus actives. Il épluchait férocement les journaux, écrit-il, il signalait ceux d'entre eux qui marquaient un mauvais esprit et les faisait supprimer avec délices. A première vue, ce récit est vraisemblable. Mais il convient d'observer que le 12 août 1873, lorsque fut demandé un rapport sur la participation de Verlaine à la Commune, la réponse fut : recherches infructueuses.

Durant la Semaine sanglante, il assista à l'épouvantable répression. Sa mère vit fusiller sous ses yeux cinquante fédérés qui, munitions épuisées, refusaient de se rendre et criaient : « A Sedan, les capitulards ! » Il partagea les sentiments de son ami Blémont, écœuré par l'orgie qui suivit le rétablissement de l'ordre, par les cafés regorgeant d'officiers et de filles. La ville en deuil, qui le matin encore ressemblait à un cimetière, n'était plus le soir qu'un bouge.

Le groupe se dispersa. Cladel se réfugia à Montauban. Blémont se maria. Au dire de Delahaye, un ami avait un moment employé Verlaine comme courtier d'assurances, mais vers le mois de juillet le poète prit peur et partit pour Fampoux avec sa femme. On s'est moqué de sa lâcheté. Mais Blémont notait le 8 juin dans son journal que l'on recherchait les employés civils de la Commune et qu'il s'inquiétait pour Verlaine son ami. Pour trouver ces craintes ridicules, il faut ignorer que quelques jours plus tard, le beau-frère de Verlaine, Charles de Sivry, fut arrêté à Néris-les-Bains et mené à Satory où il resta prisonnier plusieurs mois. Son crime était d'avoir accepté le poste de chef d'orchestre au casino de Néris. La justice bourgeoise légitimait toutes les prudences, excusait toutes les peurs.

A la fin du mois d'août, et probablement le 23, Verlaine revint avec sa femme. Le danger semblait écarté. Mais il avait perdu son emploi à l'Hôtel de Ville. L'appartement de la rue du Cardinal-Lemoine était maintenant une charge trop lourde, et surtout Verlaine souhaitait changer de quartier, pour éviter à quelque voisin malveillant la tentation de le dénoncer. Les Mauté offrirent l'hospitalité au jeune ménage. Le deuxième étage de la maison fut mis à la disposition de Mathilde et de son mari.

Verlaine renoua ses relations avec les gens de lettres. Après la catastrophe, les survivants se retrouvaient. Entre les hommes qui avaient partagé les indignations du peuple parisien et ceux qui avaient applaudi à la répression, le fossé était profond. En ces temps « d'infection intellectuelle », comme disait Verlaine, ceux qui étaient restés purs se groupaient : Blémont, Mérat, Cabaner, Valade, les Cros, et avec eux Verlaine.

Il n'est que trop certain qu'il avait recommencé de boire. Lepelletier est formel : son ami reprit ouvertement ses mauvaises habitudes avant même le voyage dans le Nord et dès le lendemain de la Commune. Il juge, avec raison sans doute, qu'en cessant tout travail régulier, en décidant de vivre inactif chez ses beaux-parents, Verlaine a rendu possibles tous les malheurs qui suivirent.

2 RIMBAUD

Durant son séjour à Fampoux, tel est du moins le récit très précis et formel de Delahaye, Verlaine avait reçu une lettre de Charleville. Elle était signée d'un nom inconnu, Arthur Rimbaud. Ce jeune homme y disait son idéal, ses rages, son ennui. Il demandait l'avis du poète sur les vers qu'il avait joints à son envoi. Il se recommandait d'un ami de Verlaine, Charles Bretagne : celui-ci avait même écrit dix lignes au bas de la lettre pour appuyer la demande du jeune Rimbaud. L'enveloppe portait l'adresse de la rue Nicolet, si bien que la missive mit quelque temps à parvenir à Fampoux. Trois jours plus tard une seconde lettre arrivait, accompagnant un second envoi de poèmes.

Verlaine répondit de Fampoux, et par conséquent au mois d'août, avant le retour à Paris. Il marquait le très grand intérêt qu'il avait trouvé aux poésies du jeune inconnu. Il laissait entrevoir qu'il serait possible de faire vivre le jeune homme à Paris, mais il lui fallait d'abord se concerter avec des amis. Dès son retour dans la capitale, il s'occupa en effet de l'affaire. Un jour, Rimbaud reçut à Charleville la lettre tant désirée; tout était arrangé, on l'attendait, il pouvait venir. Un mandat, joint à la lettre, lui fournissait le moyen de faire le voyage.

Il ne fallut pas longtemps pour que se nouât entre Verlaine et Rimbaud une liaison qui ne comportait aucune réserve. Ils passaient leurs journées ensemble, en d'interminables promenades autour de la Butte et plus tard dans les cafés du quartier Trudaine et du Quartier Latin. Ils se retrouvaient au café de Cluny, au Tabourey, dans un club organisé par Verlaine et ses amis au premier étage de l'hôtel des Étrangers, au coin de la rue Racine et de la rue de l'École de Médecine. Verlaine rentrait chez lui très tard dans la nuit, affreusement ivre. Il ne soignait plus son linge et avait adopté la tenue négligée de Rimbaud. Bientôt, dans le milieu des gens de lettres, on commença de jaser. Le 16 novembre, un journal nota, parmi les personnalités aperçues à une représentation dramatique, M. Paul Verlaine « donnant le bras à une charmante jeune personne, Mlle Rimbaud ». Le trait semble cruel, il n'était que timide : dans la réalité, les deux hommes s'étaient promenés au foyer du théâtre en se tenant par le cou !

Un incident acheva d'aliéner les admirations que les vers de Rimbaud lui avaient d'abord gagnées. Verlaine et ses amis avaient repris une tradition d'avant-guerre, le dîner des Vilains Bonshommes. Ils se retrouvaient chaque mois, au premier étage d'un marchand de vins, au coin de la rue Bonaparte et de la place Saint-Sulpice. Rimbaud, un peu excité, interrompit un jour un obscur rimeur qui déclamait des vers ridicules, puis se jeta sur Carjat avec la canne-épée de Verlaine. On le désarma sans peine. Mais il fut décidé que désormais l'auteur des *Fêtes Galantes* serait invité seul et sans son compagnon. Froissé de cet ostracisme, Verlaine rompit avec les Vilains Bonshommes, c'est-à-dire, en fait, avec tout le groupe de ses amis.

On devine ce qu'était devenue la vie du ménage, rue Nicolet. Mathilde était enceinte, mais son mari n'avait pour son état ni attention, ni respect. Un jour, elle s'était permis de dire que peut-être Rimbaud n'était pas très délicat : Verlaine l'arracha du lit et la jeta sur le plancher. Le 30 octobre, elle mit au monde un garçon. Verlaine avait été absent toute la journée. Il ne rentra qu'à minuit. Il parut content, embrassa sa femme et le bébé. Tout alla bien trois jours. Il recommençait à dîner chez lui et passait ses soirées avec Mathilde. Mais le quatrième jour, il rentra ivre, et se livra à de telles violences que la garde voulut demander de l'aide. Il ne marquait aucune tendresse pour la jeune maman et pour l'enfant. Le 15, il renouvela la scène du 4 novembre. M. Mauté dut intervenir pour protéger sa fille. A partir de ce moment les rentrées tardives furent la règle, avec leur accompagnement de violences.

Au début de janvier 1872, les scènes étaient devenues quotidiennes. Le 13, Verlaine manqua d'étrangler Mathilde. La malheureuse portait des ecchymoses au cou. On appela le médecin. Verlaine avait promis de présenter ses excuses. Le lendemain, il s'y refusa, fit une nouvelle scène le soir et s'en alla dormir ailleurs, peut-être chez sa mère. Alors Mathilde décida de partir. Avec son enfant, elle se réfugia à Périgueux. Lorsque Verlaine, calmé, se présenta rue Nicolet, on lui refusa l'entrée et on l'informa que sa femme n'était plus à Paris. Il ne sut pas où elle se trouvait.

Il faut croire que malgré ses violences il n'avait jamais envisagé cette séparation. Il supplia. Le 20 janvier il adressa, rue Nicolet, à Mathilde, une lettre où il avouait et regrettait sa conduite : cette lettre servira un jour aux Mauté pour appuyer devant le tribunal leurs accusations contre leur gendre. Pour le moment ils exigèrent le départ de Rimbaud. Verlaine ne s'y décidait pas. Le vieux Mauté eut alors recours aux moyens énergiques. Par ministère d'huissier Verlaine reçut avis que sa femme déposait une demande en séparation, fondée sur les coups, sévices et injures graves dont son mari s'était rendu coupable. Le président accorda d'ailleurs des remises successives qui laissaient aux choses le temps de s'arranger. Verlaine a parlé plus tard de ce « fatal mois de février » où il avait su prouver, par son chagrin, l'attachement qu'il gardait à sa femme. Autant qu'il est possible d'établir une chronologie précise, Rimbaud s'en retourna à Charleville dans la première moitié du mois de mars.

Tels sont les faits connus. On voudrait en savoir davantage. On voudrait s'expliquer ces mois de délire et de fureur, déterminer le rôle qu'y joua Rimbaud, découvrir au fond de toute cette abjection ce qu'il pouvait subsister de vie spirituelle. A voir seulement les gestes et le comportement de Verlaine, il est clair que cette crise de 1871-1872 renouvelle celle de 1869. Verlaine agit à l'égard de Mathilde comme il a fait deux ans plus tôt à l'endroit de sa mère. Mêmes fureurs homicides, provoquées ou soutenues par l'ivresse. Même explosion, en cet homme habituellement doux, affectueux, délicat, de délires furieux, où il perd conscience et s'abandonne à ses démons. On se trouve ici en présence d'états morbides et qui relèvent de la psychiatrie.

C'est dire qu'il ne peut être question de tout expliquer par la présence de Rimbaud. Des historiens se sont crus obligés de découvrir et de fixer la part de responsabilité des deux hommes. Pour certains, c'est Rimbaud qui a corrompu Verlaine. D'autres au contraire ont prétendu que Verlaine avait gâté le jeune Ardennais. Plaisante simplicité! Qui peut croire que le mari de Mathilde, en 1871, fût encore à corrompre? Et comment imaginer que le jeune Rimbaud, en pleine crise depuis le début de l'année, ait apporté à Paris son innocence? Mais toute explication trop simple étant écartée, il semble évident que malgré la différence des âges, Verlaine se mit à l'école de son diabolique compagnon. Il avait été jusqu'alors un homme faible, et ne s'était pas abandonné sans remords à ses vices. Rimbaud fit de lui, au moins pour quelque temps, un « fils du soleil ». Il le poussa très froidement à rejeter toutes les disciplines, à braver les lois morales, à haïr les servitudes. Il lui apprit à rougir de ses remords, il lui fit honte de ce qu'il appelait ses faiblesses; et de toutes, la plus honteuse à ses yeux n'était-elle pas sa pitié et la persistance de son amour pour Mathilde et son enfant? Ce n'est pas Rimbaud qui a fait de Verlaine un ivrogne furieux et brutal. Mais il trouvait plaisant de libérer, en son ami, ces forces démoniaques qu'il avait eu la joie de découvrir en l'auteur de *la Bonne Chanson.*

Cruelle aberration, et dont Rimbaud, comme Verlaine, rougiront un jour. Mais comprenons aussi qu'elle n'est pas simplement l'ignoble aventure que veulent voir certains biographes. A travers sa folie, Rimbaud poursuit la découverte du « nouvel amour ». Il rêve d'une humanité enfin libre, héroïque et heureuse. Il en ouvre les perspectives devant Verlaine ébloui. Celui-ci avait, depuis un an, le sentiment de s'enliser dans la médiocrité de son bonheur bourgeois. Il en avait discerné la mesquinerie, l'hypocrite comédie. Il savait aussi toute la fausse intellectualité des milieux littéraires, cette parade de littérature et d'art qui masquait des intérêts de vanité et d'argent. Il étouffait. Il comprit que son jeune compagnon lui révélait enfin des valeurs authentiques. Nous savons bien que la signification la plus haute de ce message lui échappait, que l'enfant gâté d'Élisa Dehée n'était pas capable d'embrasser dans toute son étendue la révélation que lui apportait Rimbaud. Mais sa joie, son exaltation, sa conviction d'échapper à l'enlisement n'en sont pas moins certaines et donnent à ses relations avec le jeune homme leur véritable signification. D'autant plus qu'il y avait en Rimbaud non pas seulement un maître satanique, mais un enfant aux délicatesses merveilleuses, avec des parties de naïveté et de fraîcheur, avec d'émouvantes faiblesses de femme. Si l'on s'entêtait à négliger ces dessous d'une aventure affreuse, on s'interdirait de comprendre certaines poésies de Verlaine, qui sont parmi les plus beaux cris qu'ait arrachés à l'homme le tragique sentiment de son destin.

Vers le 15 mars, Mathilde revint. Verlaine manifesta une grande joie et la jeune femme put croire que la paix était revenue. Il avait trouvé un emploi au Lloyd belge. Le soir il sortait avec elle. Un nouvel ami l'occupait, le jeune Forain, qu'il appelait « la petite chatte brune ». Mathilde n'y voyait pas malice. Forain ne buvait pas. Il se montrait très gentil, gai, aimable. Grâce à sa bonne influence, Verlaine ne se saoulait plus.

Hélas, il n'était pas de bonne foi. Il préparait sans le dire le retour de Rimbaud, « la chatte blonde ». Celui-ci lui écrivait. Les lettres étaient adressées chez Mme Verlaine mère lorsqu'elles se bornaient à gémir sur leur séparation. Elles allaient chez Forain lorsqu'elles parlaient du prochain retour. Il s'agissait d'attendre un peu, de patienter quelques semaines jusqu'au moment où le ménage de Verlaine serait « retapé ». On était d'ailleurs décidé à rester prudent, et Rimbaud promettait d'être « moins terrible d'aspect ». Comme disait Verlaine en son style elliptique : « linge, cirage, peignage, petites mines ». On préparait des vengeances, des « choses tigresques » qui puniraient les auteurs de leur séparation.

Au mois de mai Rimbaud revint à Paris. On dit que ce fut le 18. Mais déjà le 9 mai une nouvelle querelle avait éclaté rue Nicolet : Mathilde, le matin, était sortie de sa chambre, la lèvre fendue et une bosse au front. Au mois de juin, elle observa que son mari boitait. Il portait plusieurs blessures à la cuisse. Elle sut un jour que Rimbaud était revenu, et qu'avec Verlaine il jouait à se battre au couteau. Le 15 juin,

Collection Matarasso

Bulloz

Cruelle aberration, et dont Rimbaud comme Verlaine rougiront un jour... (p. 31)

scène atroce. Verlaine poursuivit Mathilde, une arme à la main. Elle se réfugia près de son père. Verlaine leva sa canne sur le vieil homme. Celui-ci, vigoureux encore, put le terrasser et le désarma.

La fugue

Le 6 juillet se passa dans le calme. Le lendemain, Mathilde était souffrante, avec des névralgies et un peu de fièvre. Verlaine parut attristé. Il lui dit qu'en allant à son bureau, il passerait chez le Dr Cros. Il partit, après l'avoir embrassée affectueusement. S'il fallait se fier au récit qu'il a fait plus tard, il rencontra par hasard Rimbaud, celui-ci lui annonça qu'il regagnait Charleville, Verlaine le supplia de ne pas le laisser seul une fois de plus, et comme le jeune homme s'entêtait : « Eh bien, je pars avec toi », aurait dit Verlaine. Tel est le récit traditionnel. Il est extrêmement suspect. Il y a de bonnes raison de penser que le départ avait été au contraire prévu et préparé. On a même dit que Mme Verlaine mère, très excitée contre les Mauté, avait été avertie et avait fourni l'argent nécessaire au voyage. Quant à Mathilde, elle a noté que son mari avait l'air triste et s'était montré fort affectueux au moment du départ.

Lorsqu'il prit le train en compagnie de Rimbaud, Verlaine ne songeait pas à quitter la France. Il s'en allait tout bonnement à Fampoux, dans sa famille, et l'on peut donc penser qu'il n'envisageait nullement une rupture définitive avec Mathilde. C'est ce que Delahaye a été seul à dire, et il a eu raison. Il ajoute que Verlaine venait de s'effrayer brusquement parce qu'un journal réactionnaire avait prononcé son nom parmi les écrivains compromis dans les événements de la Commune. Voilà pourquoi Verlaine et Rimbaud prirent le train, non pas à la gare de l'Est, mais à la gare du Nord, non pas pour Charleville, mais pour Arras.

Arrivés dans cette ville, ils allèrent prendre un repas dans un café. Ils attirèrent l'attention par leurs propos incendiaires. La police intervint et les refoula sur Paris. Delahaye prétend que Verlaine alors prit peur et jugea qu'il n'y avait plus pour lui de sécurité en France. Les deux voyageurs revenus à la gare du Nord passèrent directement à celle de l'Est et gagnèrent, cette fois, Charleville. De nuit ils traversèrent la frontière belge et par Walcourt et Charleroi ils arrivèrent à Bruxelles.

Dans cette ville, Verlaine se décida à donner de ses nouvelles à sa femme et à sa mère. A celle-ci il disait : « Écris-moi toujours en deux parties séparées, l'une montrable à Rimbaud, l'autre relative à mon pauvre ménage. » A Mathilde il donnait son adresse, l'hôtel Liégeois. Intrépide, elle accourut. Sa mère l'accompagnait. C'était le 21 juillet.

Mathilde avait écrit à Verlaine et lui avait donné rendez-vous à l'hôtel Liégeois. Elle descendit du train à 5 heures du matin. Verlaine n'était pas à l'hôtel. Il arriva à 8 heures. On a trop simplifié le récit de cette rencontre, en se fiant aux *Birds in the Night.* Il est possible que Mathilde se soit montrée très tendre et qu'elle ait su ranimer la flamme sensuelle chez son mari. Mais plusieurs récits s'accordent à dire qu'il y eut autre chose. Verlaine commença par affirmer qu'il ne s'appartenait plus, qu'un rapprochement était impossible, qu'il était trop tard. « La vie de ménage m'est odieuse », répétait-il. Assez ouvertement il parla de sa passion pour Rimbaud. « Nous avons des amours de tigres » aurait-il dit. Il aurait même montré sa poitrine meurtrie de coups de couteau. Mathilde écoutait sans comprendre. Elle se méprit sur la signification de ces aveux, qui ne devait lui apparaître que plus tard. Elle supplia son mari de revenir avec elle. Un récit vraisemblable veut que Verlaine lui ait alors proposé de consentir à son amitié pour Rimbaud, en une sorte de vie commune à trois. Elle refusa, mais elle offrit à son mari de voyager. A son tour, il dit non. Puis il accepta de réfléchir jusqu'au soir.

Ils se retrouvèrent à cinq heures, dans un jardin public près de la gare du Midi, et c'est là que Mathilde arracha à Verlaine une apparence de consentement, murmurée tout bas et à peine entendue. La mère se tenait à quelques pas en arrière. Tous les trois ils prirent le train. A en juger par l'itinéraire adopté, ils avaient l'intention d'aller d'abord à Fampoux. A la gare-frontière de Quiévrain, ils descendirent pour la visite de la douane. Au moment de regagner le compartiment, Verlaine refusa d'y monter. « Non, je reste ! » déclara-t-il en enfonçant d'un coup de poing son chapeau mou sur sa tête. Mathilde ne devait jamais le revoir.

Les deux hommes séjournèrent six semaines à Bruxelles sans qu'on sache rien de précis sur ce qu'ils y purent faire. Verlaine a seulement dit qu'ils y vécurent alors « un peu de toutes les vies ». Ils rencontrèrent plusieurs Français, notamment Georges Cavalié, le *Pipe-en-bois* de l'affaire *d'Henriette Maréchal*. Ils ne cachaient guère la nature de leurs relations et une note de police dit brutalement : « On a vu les deux amants, à Bruxelles, pratiquer ouvertement leurs amours ».

Londres

Au dire de Delahaye, ce fut le manque de ressources qui décida les deux Français à quitter la Belgique et à chercher fortune à Londres. Le 7 septembre, ils s'embarquèrent à Ostende sur la malle de Douvres. Ils arrivèrent à Londres le lendemain, qui était un dimanche. Ils y louèrent une chambre au 34-35 d'Howland Street, Fitz-Roy Square, dans un immeuble du

XVIIIe siècle aux hautes fenêtres, mais déchu de son ancienne splendeur, et que son propriétaire français louait à des tailleurs, à des artistes et à quelques bohèmes ses compatriotes.

A Londres, Verlaine retrouvait bon nombre de ses anciens amis, Régamey, Andrieu, Lissagaray, Vermersch. Il adhéra au *Cercle des études sociales* fondé par Lissagaray, et qui groupait les « gens à redingote » de la Commune. Nous possédons un précieux témoignage sur l'aspect qu'il présentait alors. Il avait peu de linge, mais il était décent, gai, nullement terrassé par le sort. Les heures passées avec lui étaient des heures charmantes. Il traînait un compagnon muet, Rimbaud.

Mais cette gaîté, cette gentillesse cachaient une grande inquiétude. A Paris, les amis de Verlaine prenaient presque tous le parti de sa jeune femme. Même Pelletan et d'Hervilly se détournaient de lui. Valade, Forain, les frères Cros et, croyait-il, Burty, lui restaient seuls fidèles. Et surtout les Mauté avaient introduit une demande en séparation. Aussitôt après la fugue de juillet, ils avaient trouvé dans les papiers de leur gendre les lettres de Rimbaud. Ils avaient été éclairés sur le véritable caractère des rapports entre Verlaine et lui. Ils avaient compris que dans la réconciliation de mars ils avaient été trompés. Ils étaient cette fois décidés à délivrer légalement leur fille de toute obligation envers un mari indigne. Me Guyot-Sionnest, leur avoué, poussa l'affaire avec énergie. Verlaine dut prendre, lui aussi, un avoué. Sur les conseils d'un ami de la famille, un vieux procédurier nommé Istace, il fit choix de Me Pérard, avoué, rue du Quatre-Septembre.

Vers la fin de novembre 1872, Rimbaud décida de regagner Charleville. On a pensé qu'il était las de cette vie misérable, ce qui suppose que les deux hommes vivaient comme des gueux, et l'erreur est évidente, car Mme Verlaine mère aurait, s'il l'avait fallu, envoyé l'argent nécessaire. Ce fut en réalité la mère de Rimbaud qui fit comprendre à son fils que, dans l'intérêt de tous, il lui fallait revenir en France, et que son départ enlevait aux accusations des Mauté leur argument le plus redoutable. Mme Verlaine dut appuyer ces sages avis : peut-être que Mathilde, enfin rassurée, accepterait de se réconcilier avec son mari.

Verlaine resta donc seul à Londres, dans une solitude qui lui fut bientôt intolérable. Vers le début de janvier 1873, il tomba malade. Il appela à lui, par télégramme, sa mère et sa femme. La première répondit seule à son appel. Deux jours après, Rimbaud arriva : la vieille Élisa l'avait alerté et lui avait envoyé les 50 francs nécessaires pour le voyage. Puis dans les premiers jours de février elle repartit, et quoiqu'on ait cru longtemps le contraire, Rimbaud resta. On a retrouvé sa carte de lecteur au *British Museum*. Elle date du 25 mars 1873.

Si l'on était mieux renseigné sur la conduite et les pensées de Verlaine et de Rimbaud dans les premiers mois de 1873, on découvrirait peut-être quelque chose de bien différent des imaginations que nous nous forgeons à leur sujet. Une tradition de la famille Verlaine, des documents inédits peut-être, veulent que Mme Verlaine, au chevet de son fils malade, lui ait ouvert les yeux sur ses folies et qu'il soit resté profondément ému par ces remontrances de l'amour maternel. A coup sûr il ne songe plus désormais qu'à rentrer en grâce auprès de Mathilde. Il prépare son retour. Un moment il projette de rentrer à Paris, il se rend à Newhaven, il va s'embarquer sur un navire à destination de Dieppe. Mais il prend peur, il croit comprendre que la police française le guette. Chimère peut-être; mais nous savons maintenant qu'un informateur de cette police ne cessait, à Londres, de suivre ses moindres déplacements et faisait des rapports sur lui comme il aurait pu faire pour un individu dangereux.

Verlaine se décida alors à rejoindre les siens en Belgique. Le 4 avril, avec Rimbaud, il s'embarqua sur *la Comtesse de Flandre.* A leur arrivée les deux hommes se séparèrent. Tandis que Rimbaud gagnait Roche où il parvint le 11 avril, Verlaine se rendit à Namur. Il se présenta chez le chanoine Lambin, un ami des Grandjean, et chez les abbés Delogne, deux frères qui avaient été curés de Paliseul et qui occupaient des postes en vue dans le diocèse. Il leur demanda d'intervenir auprès de Mathilde. Ils ne purent, hélas, lui donner que de bonnes paroles, et presque aussitôt lui arriva une lettre de Paris qui lui enlevait tout espoir en une réconciliation. Le coup fut terrible. Il tomba malade et il a parlé d'une « attaque cérébrale » qui faillit le tuer. Verlaine restait sans doute obsédé par la pensée de Rimbaud, et le désir qu'il marquait d'une réconciliation avec Mathilde n'était que comédie. Mais si la part des mensonges était grande, il est probable qu'il voulait sincèrement retrouver son foyer. Peut-être même avait-il une raison plus pressante de renouer avec sa femme. Un avis, a-t-il prétendu, lui avait été donné qu'elle était tout près de céder à la cour pressante d'un ami. Il craignait que l'irréparable ne s'accomplît avant qu'il eût pu réparer sa folie du mois de juillet précédent.

Il vint se fixer à Jehonville, chez sa tante Evrard. Il suivait de là le développement de son procès. Le 13 octobre 1872, le tribunal avait rendu une ordonnance de non-conciliation, il avait autorisé Mathilde à demeurer chez ses parents et à élever son enfant. Les Mauté maintenant pressaient activement l'action en séparation de corps et de biens. Verlaine, d'autre part, restait en correspondance avec Rimbaud et le voyait même de loin en loin. Lorsqu'il fut évident que les Mauté seraient intraitables, le mari de Mathilde prépara son retour à Londres avec son compagnon. Le 19 mai il annonça qu'il partirait dans les huit jours. Le 25 mai en effet, il rejoignit Rimbaud à Bouillon, et ils se mirent en route pour Anvers. Le 27 mai ils s'embarquèrent. Arrivés à Londres le lendemain, ils allèrent loger 8, Great College, Camden Town.

Ce deuxième séjour dura jusqu'au 10 juillet. Il semble que cette fois l'argent manqua, et les deux amis connurent, sinon la misère, du moins la gêne. Ils vivaient de quelques leçons particulières. On a retrouvé dans les journaux anglais quatre « petites annonces » où les deux *gentlemen* français se proposaient pour des leçons dont ils vantaient la perfection, la finesse et le prix modéré. Le résultat fut médiocre. Verlaine a prétendu qu'ils avaient fini par gagner de 100 à 150 francs par mois. Mais s'il faut en croire Rimbaud, ils n'auraient pas réussi à trouver plus d'une douzaine de francs par semaine. C'est peut-être cette situation qui explique la nouvelle fuite de Verlaine.

Bruxelles

De même que pour les événements de juillet 1872, la version traditionnelle insiste sur l'imprévu du geste, sur sa spontanéité. Mais Edmond Lepelletier soutient au contraire que Verlaine avait préparé sa fuite d'accord avec sa mère et sur les conseils de celle-ci. Son récit est vraisemblable : certains détails semblent le confirmer de façon précise.

Quelles qu'aient été les intentions de Verlaine, une querelle éclata entre lui et Rimbaud, dans la matinée du 3 juillet. A confronter les témoignages, il semble que Rimbaud venait de lui faire des reproches sur sa paresse et qu'il les avait fort mal pris. Peut-être aussi que Rimbaud lui avait demandé de l'argent et que son refus provoqua la querelle. Il décida de prendre le premier bateau pour Anvers. Il partit très vite, abandonnant sa garde-robe, ses livres, et ses manuscrits. Avait-il informé Rimbaud de son départ? En tout cas celui-ci le retrouva sur le quai et le pressa en vain de rester avec lui. A Bruxelles, le 4 juillet, Verlaine prit une chambre à l'Hôtel Liégeois, et il écrivit à sa mère. Elle accourut aussitôt.

Il écrivit aussi à Mathilde. Il annonçait dans sa lettre qu'il quittait Rimbaud pour toujours, qu'il le laissait seul à Londres et qu'il se tuerait si sa femme ne venait pas immédiatement le rejoindre à Bruxelles. Mais cette lettre, Mathilde la jeta dans un tiroir sans l'ouvrir. Elle ne saura que cinq ans plus tard le message affolé qu'elle apportait.

Il est facile de tourner en dérision ces menaces inefficaces de suicide. Elles traduisent pourtant un désespoir sincère. Verlaine n'a jamais voulu vraiment l'aventure. Même lorsqu'il est parti avec Rimbaud, il n'a ni souhaité, ni prévu une rupture avec sa femme. Il a pris de grandes vacances. Il a agi en enfant. C'est maintenant qu'il aperçoit le caractère désespéré de la situation où il s'est mis : son foyer détruit, ses ambitions poétiques devenues impossibles, sa fortune gaspillée, la solitude et la misère pour demain.

Lorsqu'au bout de quelques jours il comprit que sa femme ne répondrait pas à son appel, il se décida à faire signe à Rimbaud. Celui-ci avait été d'abord au désespoir. Il suppliait Verlaine de le rejoindre, il promettait d'être doux, il l'assurait de son amour. Le 8 juillet enfin, un mardi, Verlaine lui envoya un télégramme : « Viens ici, hôtel Liégeois », disait-il. A cette heure-là, Rimbaud était probablement en route, car très rapidement, il fut à Bruxelles. Les deux hommes et Mme Verlaine allèrent loger à l'hôtel de Courtrai, 1, rue des Brasseurs.

On ne sait pas ce qu'ils firent dans la journée du 9.

Mais le soir, Verlaine était ivre. Le jeudi 10 juillet, il sortit de bonne heure. Il recommença de boire. Sans qu'on sache ce qui se passait alors dans son esprit, il acheta un revolver. A midi, il rentra à l'hôtel. Il était ivre encore. A Rimbaud il montra l'arme qu'il venait d'acheter : « C'est pour vous, pour moi, pour tout le monde », déclara-t-il. Puis les deux hommes sortirent ensemble, prirent ensemble un apéritif et leur repas. Ils rentrèrent. Ils n'avaient pas cessé de se quereller. Rimbaud s'entêtait à dire qu'il allait rentrer en France. Verlaine lui répétait que s'il essayait de partir, il arriverait un malheur. A la fin, Verlaine ferma à clef la porte de la chambre, s'assit en face de Rimbaud, arma son revolver. Rimbaud était debout devant lui, l'épaule droite appuyée au mur. Verlaine tira deux coups. Le premier atteignit Rimbaud à l'avant-bras gauche. La seconde balle frappa le mur à trente centimètres au-dessus du sol. Mme Verlaine, qui était dans la chambre voisine, accourut. Elle trouva son fils en larmes, qui suppliait Rimbaud de lui tirer une balle dans la tête.

Puis les choses se calmèrent. On alla à l'hôpital Saint-Jean, où le bras de Rimbaud fut pansé. On commença de parler raisonnablement. Rimbaud annonça qu'il allait partir. Verlaine et sa mère décidèrent de l'accompagner jusqu'à la gare du Midi. Mais en route la discussion reprit. Près de la place Rouppe, Verlaine fit le geste de se mettre devant Rimbaud et de lui barrer la route. Se borna-t-il à mettre la main à la poche? Mais Delahaye dit qu'il en tira son revolver. D'un récit fort embrouillé de Verlaine à Byvanck, il résulte au moins qu'il menaça de nouveau son compagnon. Rimbaud prit peur, tourna le dos et se réfugia auprès d'un agent de police. Celui-ci mena les deux hommes au poste. On leur posa des questions. Ils surent mal y répondre. Une heure plus tard, Verlaine était écroué.

LE REDRESSEMENT 3

La justice belge fut impitoyable. D'abord parce que le juge d'instruction avait saisi des lettres qui ne laissaient guère de doutes sur les relations des deux Français et qu'une expertise médicale confirma ses soupçons. Mais aussi parce que le magistrat vit en Verlaine un ancien Communard, un individu dangereux que les diverses polices surveillaient et dont il fallait protéger la société bourgeoise. Le 11 juillet, il fut transféré, en voiture cellulaire et menottes aux mains, à la prison des Petits-Carmes. Il subit ce jour-là son premier interrogatoire. Le 15, expertise médico-légale. Le 18, nouvel interrogatoire. Le 19, trop tard, Rimbaud renonce à toute action et se désiste de toute plainte. L'instruction se poursuit. L'inanité des premières accusations éclate. Impossible de retenir la préméditation et la tentative criminelle. On retient les coups et blessures ayant entraîné incapacité de travail. Le 8 août, Verlaine comparaît devant la 6e chambre du tribunal correctionnel. Il est condamné au maximum, deux ans de prison. Il fait appel. Le 27 août la sentence est confirmée. Il reste encore deux mois aux Petits-Carmes. Puis le 25 octobre, il est transféré à la prison de Mons. C'est là qu'il purgera le reste de sa peine.

Par la faute de Verlaine, on a trop souvent décrit ses dix-huit mois de prison sous des couleurs presque riantes. Dans ses dernières années, à Paris, nous nous expliquons sans peine que la vie de prisonnier, monotone, mais régulière et sans inquiétude, lui ait semblé plus agréable que l'horrible existence qu'il menait alors. Au surplus, la légende qu'il était en train de construire autour de son nom exigeait que l'époque de sa conversion fût aussi une période de paix heureuse. Mais les lettres qu'il écrivit à Mons rendent un autre son. A Bruxelles déjà il avait souffert de maux de tête épouvantables. Au mois de novembre 1873, le courage qui l'avait soutenu jusque-là faisait mine de l'abandonner. Il passait des journées à trier du café. Cette vie d'isolement plutôt que de solitude, ces heures toutes remplies des servitudes du règlement éteignaient en lui l'activité de l'esprit, rendaient impossible tout travail sérieux. Il fut longtemps sans pouvoir écrire de vers. Peut-être d'ailleurs ces conditions s'améliorèrent-elles vers la fin. Il put lire, étudier l'anglais, se remettre à l'étude de l'espagnol qu'il avait abandonnée depuis dix ans. Le directeur de la prison était bon pour lui et l'aumônier, l'abbé Eugène Deschamps, qui avait sans nul doute reçu des lettres de Namur et de Paliseul, souhaitait plus vivement qu'aucun autre la conversion du prisonnier.

Un événement important marqua son séjour à Mons. Il se convertit. Le mot doit être pris dans sa rigueur. Verlaine se jette aux pieds du Crucifix, il adhère de toute son âme aux dogmes catholiques, il approche des sacrements, il observe avec scrupule les obligations de la vie chrétienne. Encore faut-il préciser les véritables perspectives de cette conversion qui était aussi un retour : le retour aux croyances et aux pratiques de sa jeunesse.

A en croire Verlaine, il avait perdu la foi dans l'année qui suivit sa première communion. Mais on a vu plus haut que bien des faits contredisent ou nuancent cette affirmation, et qu'en 1869 encore il s'était confessé, qu'il avait suivi plusieurs années les conférences de Notre-Dame. Les travaux de M. Le Fefve de Vivy ont prouvé à quel point l'emprise des traditions religieuses avait été forte et durable chez ce jeune Parisien, combien vite elles reprenaient vigueur dès qu'il respirait à nouveau l'atmosphère chrétienne et pure de sa famille paternelle. Il s'était probablement éloigné de l'Église de façon plus nette vers 1867-1869 lorsqu'il avait fréquenté les jeunes Parnassiens, presque tous anticléricaux et athées. Pour faire chorus, il avait écrit un sonnet où il bravait le ciel et l'antique superstition. Ses lettres de Londres, en 1872, prouvent qu'il avait emprunté à Rimbaud l'habitude de certaines plaisanteries blasphématoires. Mais sur ce point comme sur d'autres, ne donnons pas à ses attitudes une netteté qu'elles n'avaient pas. A coup sûr le Verlaine qui posait en fanfaron d'impiété devant ses camarades de Paris ne ressemblait pas au Verlaine de Jehonville et de Paliseul. Mais il n'était pas plus réel, ni peut-être plus sincère. Intermittence des attitudes et des propos chez un homme plus divers et plus tiraillé qu'aucun autre.

Depuis le mois de janvier 1873, il se rapprochait de l'Église. M. Le Fefve de Vivy donne l'impression de s'appuyer sur des documents précis lorsqu'il écrit que Verlaine avait alors « prévenu de sa conversion » les abbés Delogne et le chanoine Lambin, de Namur. Il rapporte qu'à Jehonville, en mai 1873, Verlaine avait promis au curé de retourner à l'église. Son récit vient éclairer une anecdote de Delahaye. Celui-ci rapporte qu'un jour de ce même printemps, Verlaine parla des revirements subits de l'âme humaine. La conversation se tenait à Bouillon : les interlocuteurs du poète étaient Rimbaud et Delahaye. Verlaine raconta que quelques années plus tôt, il était entré un jour dans une église, que poussé par une force inconnue il s'était présenté au confessionnal, qu'il avait ensuite, pendant une ou deux semaines, recommencé de pratiquer. Rimbaud écouta ses confidences sérieusement, et sans un mot d'ironie.

Vue dans cette perspective, la conversion de 1874 n'en apparaît pas moins vraie, mais son caractère se précise. Il n'est pas exact que depuis de longues années Verlaine ait rompu tout rapport avec l'Église. Bien plutôt qu'un impie, il était un chrétien faible et qui avait mal tourné. Sa conversion est essentiellement un retour à des croyances et à des pratiques abandonnées depuis peu de temps et qui n'avaient jamais perdu complètement leur prestige.

C'est là sans doute ce qui explique qu'en novembre 1873 Verlaine compose des *Cantiques à Marie* et des *Prières de la Primitive Église*, alors que la véritable conversion n'eut lieu qu'au mois de mai suivant. Verlaine écrit ces poèmes d'inspiration chrétienne en toute sincérité, soyons-en sûrs, et non pas parce qu'il va redevenir chrétien, mais parce qu'à sa manière il l'est déjà, parce qu'il l'a toujours été. Il suffit qu'il se trouve éloigné à la fois du groupe parnassien et de Rimbaud pour que tout un passé encore proche, pour qu'une sensibilité religieuse qui jamais n'avait été complètement étouffée reprennent force et l'inspirent. D'autant plus que dans son nouveau séjour tout conspire à l'incliner dans ce sens. Le règlement comporte des prières, l'assistance à la messe. L'abbé Deschamps le surveille et attend le moment favorable.

Ce moment se présenta au printemps de 1874. Le 24 avril, le tribunal de la Seine prononça la séparation de corps et de biens entre Mathilde et le prisonnier de Mons. La garde du petit Georges était confiée à sa mère. Lorsqu'il apprit cette nouvelle, Verlaine s'effondra. Il fit appeler l'aumônier. Il reçut de lui des livres d'enseignement religieux. Au mois de juin, il annonça au prêtre sa conversion. Quelque temps après, il se confessa et communia.

Il est sans doute assez vain de disserter sur un geste aussi préparé et, dirait-on volontiers, aussi normal. Ce qu'il est au contraire important de noter, c'est le double caractère que présente le catholicisme de Verlaine. Il eut ceci d'étonnant que cet homme malheureux et coupable alla tout de suite, tout droit et comme spontanément, au plus essentiel de l'esprit chrétien. Il embrassa la doctrine de la Chute et de la Rédemption. Il fut le pécheur qui du fond de son abjection élève sa prière vers le Christ qui rachète et qui purifie. Plus tard le sentiment religieux revêtit des formes plus scolastiques, se figea en un dogmatisme parfois déplaisant. Il fut, dans les premières années, admirable de force, de richesse, d'authenticité.

Mais en même temps il signifia, pour Verlaine, une rupture avec le monde moderne. Il y aura désormais en lui, et jusqu'à la fin, un prophète qui tonne contre cette société « abominable, pourrie, vile, sotte, orgueilleuse et damnée ». Rien n'échappera à ses anathèmes, la démocratie, la République, le suffrage universel, Victor Hugo, Flaubert et les Goncourt. Autrefois, quand il était hébertiste, il eût volontiers coupé des têtes. Maintenant il allumerait des bûchers. Le fanatisme est le même. Son journal, c'est *l'Univers*, et son maître à penser, c'est Joseph de Maistre. Les Oratoriens, Montalembert, Mgr Dupanloup sont de mauvais catholiques pour ce nouveau converti. Il confond dans son zèle la cause de l'Église « qui a fait la France » et celle du parti légitimiste.

Toute cette ardeur bien-pensante ne suffisait pas à faire illusion sur lui. Les autorités pénitentiaires le jugeaient avec lucidité. Elles notaient son caractère faible et disaient de sa moralité : « assez bonne » seulement. Elles s'inquiétaient de ne voir en lui nulle aptitude au travail. De son amendement, elles pensaient qu'il était simplement « probable ». Des démarches avaient été faites à Bruxelles pour obtenir une réduction de peine. Elles furent inutiles. Verlaine ne dut qu'aux dispositions du règlement strictement appliquées une remise de 169 jours. Il sortit de prison le 16 janvier 1875.

Stickney et Bournemouth

Sa mère était à la porte qui l'attendait. Elle l'emmena à Fampoux. Il avait, en prison, formé le rêve d'une entreprise agricole. Mais l'accueil, dans sa famille, fut réservé. Lepelletier nous l'apprend, et Mathilde donne à son récit bien de la vraisemblance, car elle raconte que Victorine Dehée s'était rangée de son côté et lui rapportait les projets de Verlaine. Celui-ci rêvait toujours d'une réconciliation avec sa femme. Il se rendit à Paris et comprit vite qu'il n'avait rien à espérer. Il songea peut-être à se faire trappiste. Huit jours de retraite à la Trappe de Chimay lui firent mesurer son erreur. Enfin il entreprit de convertir Rimbaud. Il décida d'aller à Stuttgart pour le retrouver et le convaincre. Il trouva un Rimbaud méconnaissable, correct, fureteur de bibliothèques, uniquement soucieux d'apprendre l'allemand. La rencontre se termina d'une façon qu'on sait mal. On a parlé d'une promenade hors de la ville, d'horions échangés, on a dit que des paysans trouvèrent dans un fossé Verlaine évanoui et qu'il resta couché chez eux plusieurs jours. Mais ce récit s'accorde mal avec une lettre de Rimbaud : « Verlaine est resté deux jours et demi, et sur ma remonstration, s'en est retourné à Paris, pour, de suite, aller finir d'étudier *là-bas dans l'île.* »

C'est à ce dernier parti en effet que Verlaine s'arrêta. Il arriva à Londres vers le 20 mars 1875. Il descendit au 10 de London Street, Fitz Roy Square, à deux pas d'Howland Street. Mais il n'avait pas l'intention de s'y attarder. Il s'adressa à une agence. Au bout de quelques jours il reçut avis qu'il y avait un poste pour lui à Stickney, dans le Lincolnshire, à 13 kilomètres de Boston et à 200 au nord de Londres. Il s'y rendit le 31 mars.

Vingt ans plus tard il a raconté ses souvenirs des douze mois qu'il y passa. On devine quelles inexactitudes ont pu se glisser dans son récit. D'excellentes recherches ont permis de les rectifier. Dans ce paisible village de huit cents habitants il a laissé le souvenir d'un homme doux, patient et un peu triste. Il assistait aux services anglicans du dimanche, mais le samedi il se levait de grand matin pour assister à la messe catholique de Boston. Il passait ses temps libres en lectures et en longues promenades. Sa conduite, disent les témoins, était parfaite. A l'exception d'un seul qui le vit un jour, au retour de Boston, *most gloriously tipt* (fameusement éméché), tous sont d'accord pour dire qu'il ne buvait pas. Le *rector*, Reverend Coltman, le jeune directeur de l'école, W. Andrews, faisaient cas de lui et ses élèves l'aimaient.

Il n'était pas malheureux. Il connaissait pour la première fois de sa vie le calme, le silence, la solitude dans la liberté. Il n'avait que de loin en loin des nouvelles de Paris et ne désirait pas pour le moment retourner en cette ville, liée pour lui à d'affreux souvenirs. Quelques très rares amis restaient en correspondance avec lui. Delahaye le tenait au courant des voyages de Rimbaud et lui transmettait même quelques lettres de l'ancien compagnon. Elles sont perdues. Nous possédons une des réponses de Verlaine. Elle est d'une sécheresse, d'un pharisaïsme prédicant et roublard qui laissent une impression navrante. En revanche il s'était lié d'amitié, en avril 1875, avec Germain Nouveau, qui avait été, un an plus tôt, le compagnon de Rimbaud, et qu'il fut heureux de ramener à la foi chrétienne.

Il n'avait pas renoncé à toute ambition. Il lui

fallait rétablir sa fortune, durement touchée par les folies récentes, et son poste de Stickney était trop mal payé. Au mois d'octobre, il songeait déjà à partir dès qu'il aurait trouvé une situation meilleure. Le contrat de six mois qu'il avait souscrit expirait au milieu ou vers la fin de novembre. W. Andrews le décida à rester jusqu'à Noël en lui promettant des conditions plus avantageuses. Puis, une seconde fois, il accepta de prolonger son séjour. Mais il cherchait ailleurs. Il crut avoir trouvé. On lui fit espérer qu'il vivrait à Boston en organisant des cours ou en donnant des leçons. Vers le 1er avril 1876, il quitta donc ses amis de Stickney. Mais à Boston, la déception fut grande. Trois élèves seulement se présentèrent. Il fallut chercher encore une fois autre chose.

Le 1er juin 1876 il quitta Boston et vint passer quelques semaines à Londres. Il comptait y trouver un poste pour l'année scolaire suivante. Il vint aussi en France, et peut-être poussa-t-il jusqu'à Paliseul, car Delahaye le vit à Charleville. Sa santé était alors parfaite et son ami fut frappé de son nouvel aspect, corps nerveux et souple, jambes dansantes, esprit vif et délicieux.

Au mois de septembre, il entra à l'Institution Saint-Aloysius de Bournemouth. Le propriétaire-directeur s'appelait Frederick Remington, mais le nom même de l'établissement prouve assez que les Jésuites y avaient la haute main. L'atmosphère n'était pas celle de Stickney. Bournemouth est une ville élégante sur la côte sud de l'Angleterre. L'Institution Saint-Aloysius était petite, mais très *select*, et le prix de la pension était élevé. Le directeur s'intéressait mal à la tenue et aux études des jeunes cancres de bonne famille qui étaient confiés à ses soins. Verlaine eut à souffrir de leur indiscipline.

Depuis deux ans il avait l'habitude de passer ses vacances en France. Quand il allait à Paris, il descendait chez son ami Istace, qui tenait un café-concert, 12, rue de Lyon. Plus souvent et plus longuement il séjournait chez sa mère à Arras. Mme Verlaine s'y était fixée, au 2 de l'impasse d'Elbronne, rue d'Amiens. Delahaye y vint passer quelques jours avec son ami. Il a décrit le logis clair et propret, les vieux fauteuils en velours tigré, Mme Verlaine, trottinant, svelte et légère, fort occupée à préparer des plats fins pour son fils et pour le visiteur. Les compagnons de vacances de Verlaine étaient Delahaye et Irénée Decroix. Ils faisaient ensemble de joyeuses promenades dans les environs d'Arras et jusqu'à Saint-Pol.

Verlaine commençait à éprouver le regret de Paris. En janvier 1877, il songeait déjà à rentrer en France et pour un retour définitif. Il prévoyait que ce serait à Pâques. A confronter les documents trop peu nombreux dont on dispose, il semble qu'il ait quitté Bournemouth en avril, mais qu'il y retourna un peu plus tard, vers juin, pour surveiller sans doute les élèves qui restaient au pensionnat pendant les vacances. Il quitta définitivement l'Institution vers le milieu de septembre.

Rethel

Il vint à Paris. Il n'avait pas de projet ferme. A cette date il était encore disposé à retourner en Angleterre, à tenter sa chance dans une autre école anglaise. Mais il cherchait aussi du côté de l'enseignement libre en France. Son ami Delahaye venait justement de quitter le poste qu'il occupait à l'Institution Notre-Dame de Rethel. Verlaine, sans le lui dire, posa sa candidature et obtint la place. Il fut nommé adjoint d'un certain M. Eugène Royer qui dirigeait « les cours professionnels préparant aux Écoles d'Arts et Métiers, aux examens d'administration et du volontariat ». En termes plus simples, et tout *bluff* mis à part, il enseignait le français, l'anglais et l'histoire dans la section « sans latin », comme on disait alors avec mépris. Il était tenu à trente heures de cours par semaine.

Il occupa ce poste deux ans, d'octobre 1877 à juin 1879. Il donnait satisfaction au chef de l'établissement. Il semblait heureux dans ce milieu nouveau dont il partageait les croyances religieuses et les sympathies politiques. On parlait de lui comme d'un bon professeur, sérieux, compétent et réservé. Peut-être même poussait-il la gravité un peu loin. Des souvenirs d'un de ses anciens élèves nous apprennent à ce sujet des détails bien piquants. Enveloppé dans une lévite râpée, il marchait avec l'allure compassée d'un automate. Le visage était extatique. On le devinait plongé dans une continuelle méditation. Il tenait les bras croisés sur sa poitrine, les mains largement étalées. Les professeurs ecclésiastiques trouvaient que ce laïc exagérait, et les élèves, avec leur sens éveillé du ridicule, l'avaient appelé Jésus-Christ. On riait de son ostentation lorsqu'il servait la messe. Il communiait tous les dimanches.

Malheureusement il recommençait à boire. D'après certains *Souvenirs*, il allait en ville après les classes du matin et faisait de longs séjours au débit du *Père Martin*. Il lui arriva, dit-on, plus d'une fois de ne pouvoir regagner le collège, si bien que ses supérieurs furent obligés de mettre tous ses cours le matin. A Cazals, Verlaine a présenté les faits d'autre façon. Revenu un peu gris une ou deux fois il reçut des observations et promit de ne plus recommencer. Il tint sa promesse plusieurs mois. Mais un soir, il rentra tout à fait ivre, et prit fort mal les reproches qui lui furent faits : on le chassa. Des biographes ont dit que pour donner une forme courtoise à leur décision, les supérieurs de Verlaine lui annoncèrent qu'à leur regret le poste qu'il occupait était supprimé.

Dessins humoristiques de Delahaye, représentant l'arrivée de Verlaine à l'institution Notre-Dame de Rethel.

Enveloppé dans une lévite râpée, il marchait avec l'allure compassée d'un automate. Le visage était extatique. On le devinait plongé dans une continuelle méditation. Les élèves, avec leur sens éveillé du ridicule, l'avaient appelé Jésus-Christ... (p. 52)

Mais il ressort d'une lettre de Delahaye, écrite sur le moment même, qu'on prit un autre biais. On offrit à Verlaine des conditions moins satisfaisantes, qu'il eut le bon goût de refuser.

Lucien Létinois

Il s'était pris dans les derniers mois d'une amitié très vive pour l'un de ses élèves, Lucien Létinois. C'était un jeune paysan de dix-neuf ans. Il était grand et maigre, avec des traits réguliers, des yeux vifs, une physionomie qui, nous rapporte Delahaye, respirait la bonne foi et l'énergie. Il est vrai que Lepelletier qui ne l'aimait guère, a écrit qu'il avait l'air d'un rustre dégrossi et prétentieux. Mais une lettre citée par Marcel Coulon dit au contraire : « Lucien était aimable, gai, très gamin ». Verlaine s'était attaché à lui. Il l'appelait son fils. Lorsqu'il dut quitter le collège de Rethel, Lucien venait d'échouer aux épreuves du brevet. Ses études se trouvaient achevées. Verlaine forma le projet d'aller en Angleterre avec son élève. Les parents du jeune homme donnèrent leur approbation.

Verlaine et Lucien arrivèrent en Angleterre à la fin d'août 1879. Ils se rendirent d'abord à Stickney, et Verlaine y installa le jeune homme dans le poste qu'il avait lui-même occupé quatre ans plus tôt. Il l'y laissa et se rendit à Lymington, où il avait lui aussi trouvé un emploi. Dans ce petit port, situé en face de l'île de Wight, M. William Murdoch dirigeait la *Solent Collegiate School.* Verlaine y assura les classes de français. Mais toute son attention allait au jeune Lucien qui, loin de lui, s'essayait à l'enseignement et y réussissait fort mal.

La veille de Noël 1879, les deux Français se retrouvèrent à Londres. Ils voulaient passer ensemble les fêtes de Christmas. Le brouillard était intense.

Verlaine trouva son « fils » triste et troublé. Il l'interrogea, reçut l'aveu d'une faute qu'il n'est pas trop difficile de deviner. Dans la rigueur de ses principes moraux, et peut-être aussi parce que l'aveu de Lucien blessait en lui un sentiment moins pur qu'il ne croyait, Verlaine s'affola. Il envoya le jeune homme se confesser sans délai. Puis, abandonnant l'Angleterre et leurs emplois de Stickney et de Lymington, les deux hommes regagnèrent la France.

Sur cet épisode, raconté par Verlaine dans un poème d'*Amour*, des biographes ont imaginé une sombre et malpropre histoire. Il faut dire et répéter que leur récit repose sur un contresens. Ils n'ont, pour l'appuyer, que ce poème VIII d'*Amour*, et il suffit de le lire, rapproché d'autres témoignages de Verlaine, pour voir à quel point ils se sont trompés, pour comprendre que le « péché mortel » dont parle le poète, ne signifie nullement un pacte satanique entre le maître et l'élève, mais très simplement la faiblesse de Lucien, séduit par les charmes d'une jeune fille de Stickney.

Revenu en France dans les derniers jours de 1879, Verlaine résolut de vivre avec Lucien dans une ferme qu'ils exploiteraient ensemble. Le projet peut paraître insensé. Mais ne parlons pas de coup de tête. Verlaine avait déjà, à sa sortie de prison, envisagé cette solution, et il semble bien que sa mère le poussait dans ce sens. Il acheta donc une terre à Juniville, au sud de Rethel, et s'y fixa avec Lucien. Les parents du jeune homme, qui occupaient un lopin de terre à quelques kilomètres de là, au village de Coulommes, le quittèrent pour venir habiter avec leur fils. L'installation eut lieu au début de mars 1880.

Verlaine croyait avoir enfin trouvé « le petit coin, le petit nid » où il finirait ses jours en paix. Seuls Germain Nouveau, Istace et Lepelletier connaissaient sa nouvelle adresse. A tous les autres il la cachait et les rares amis qu'il gardait lui envoyaient leurs lettres à Fampoux, chez les Dehée qui faisaient suivre. Un excellent témoin l'a décrit à cette époque. Il avait une conversation très agréable. Le débit était monotone, le geste sobre, la phrase sans prétention. Ses propos n'étaient pas enjoués, mais ils étaient fort intéressants. Il est vrai qu'autour de lui les gens du village s'étonnaient. Les mauvaises langues trouvaient à redire à cette vie commune menée par un homme de trente-six ans et un gamin de vingt ans. Mais les historiens ne sont pas obligés de partager l'opinion des sots.

Malheureusement l'entreprise marchait mal et les dettes s'accumulaient. On a dit que Verlaine ne travaillait pas et gênait le travail des autres. Nous le croirons volontiers. Mais on a dit aussi que le père Létinois voulut arrondir cette terre qui avait été achetée à son nom, qu'il prit des engagements imprudents : il ne fallut qu'une mauvaise récolte pour créer une situation inextricable. Au début de 1882 il devint évident qu'il fallait liquider. Les Létinois partirent, dit-on, pour la Belgique. Verlaine resta sur place pour vendre la ferme. Sa mère, à la nouvelle de l'échec, était accourue près de lui.

Verlaine, cette fois, vint à Paris. Il renoua avec quelques-uns de ses anciens amis. Si l'on observe que *Paris-Moderne* du 25 juillet 1882 publie déjà des vers de lui à Mérat, il semble raisonnable de penser qu'il était arrivé à Paris le 1er juillet au plus tard.

Qu'allait-il devenir? Il songea au professorat dans l'Université. Mais, nous dit Delahaye, l'agrégation lui semblait trop incertaine. Il se décida à entamer des démarches pour retrouver une place à l'Hôtel de Ville. Avec l'appui de son ami Lepelletier il constitua un dossier et entreprit des démarches. Il n'avait jamais été révoqué. En 1871 il s'était borné à cesser ses fonctions. Il pouvait donc espérer sa réintégration. Mais il avait servi la Commune, il avait contre lui l'histoire de son divorce, l'histoire de sa prison. Les démarches entreprises, et qui durèrent d'octobre 1882 au mois d'avril 1883 aboutirent à un échec. Il s'explique lorsqu'on apprend que le 28 novembre 1882 le procureur général près de la Cour de Bruxelles avait envoyé à la Préfecture de la Seine une lettre qui résumait le jugement de 1873 et signalait le rapport des médecins. La Société se défend bien et ne pardonne pas.

L'historien de Verlaine doit attacher à cet échec une importance très grande. Le meilleur ami du poète à cette date, Edmond Lepelletier, l'a dit avec raison. Le refus de l'administration barrait à Verlaine la route qu'il suivait depuis sept ans. Il se sentit pris dans la nasse de la fatalité et de la misère. C'est alors, et alors seulement, qu'il renonça à l'espoir d'une vie régulière et bourgeoise. Il fit le plongeon dans l'aventure.

Lucien était venu le rejoindre avec ses parents. Ils logeaient, 14, rue de Paris, à Ivry, et Verlaine, 5, rue du Parchamp, à Boulogne. Lucien avait d'abord trouvé un emploi à l'institution Esnault, 54, rue d'Aguesseau, à Boulogne : Delahaye y avait enseigné. Puis le jeune homme entra dans un établissement industriel. Pour tirer d'embarras M. Esnault, qui était un peu son ami, Verlaine prit pour quelque temps la place de Létinois. Il mangeait à la table du directeur et ne se trouvait pas malheureux. Même après qu'il eut quitté l'institution, il resta quelque temps à Boulogne. À ses heures de liberté, Lucien venait le rejoindre.

Verlaine finit par se fixer avec sa mère dans un petit appartement, 17, rue de la Roquette. Ne confondons pas ces premiers mois de retour à Paris avec les affreuses années qui vont suivre. Ce n'est pas la misère, ni même la pauvreté. Mme Verlaine est venue avec le mobilier de famille. Le logis est clair et gai. Moréas, avant Delahaye, l'a décrit : les rideaux candides, l'ameublement de bourgeoisie provinciale;

aux murs, des pastels du premier Empire, un Christ sanglant, maladroit et pathétique, de Nouveau. Devant la fenêtre, un pupitre. Sur des rayons une petite bibliothèque, où les traités d'ascétisme sont rangés parmi des ouvrages libertins. Mme Verlaine n'a guère changé d'humeur et d'aspect. Un peu plus de rides seulement, dit Delahaye. Les yeux restent gais. Elle est toujours vive et liante. Très vite elle se fait des amis dans le quartier. Et si l'on veut se représenter et comprendre le Verlaine de 1882, il convient de s'attarder sur la belle photographie qu'il fit faire alors. Document vraiment capital. Rien de la tête de faune que l'on verra un jour. Un air digne, imposant. Une noble calvitie. La barbe courte et soignée. Le regard ferme et droit. En cette année 1882, Verlaine est en pleine force et a grande allure.

Un événement imprévu vint bouleverser soudain ses projets. Le 3 avril 1883, Lucien Létinois fut atteint de la fièvre typhoïde et transporté à l'hôpital de la Pitié. Prévenu tard, Verlaine accourut. Il trouva son ami en plein délire et qui prononçait son nom. Le 7 avril, le jeune Lucien expirait. Derrière le corbillard drapé de blanc, il pleura : « Comme pour une jeune fille ! Il le méritait bien », dit-il à quelqu'un qui l'accompagnait.

Il a dit, en termes émouvants, la profondeur de sa peine :

> Cela dura six ans, puis l'ange s'envola.
> Dès lors je vais hagard et comme ivre : voilà.

Mais il convient d'observer qu'à la même date exactement les démarches pour sa réintégration échouaient. Ce double malheur explique les tristesses qui vont suivre.

LES DERNIÈRES ANNÉES 4

L'effondrement

Le 30 juillet 1883, chez Me Sabot, notaire aux Batignolles, Mme Verlaine acheta aux parents Létinois, pour une somme de 3 500 francs, la petite ferme de Malval qu'ils possédaient sur le territoire de Coulommes. Il fallut quelques semaines pour préparer la prise de possession. Le 20 septembre enfin, Verlaine quitta Paris, passa en flèche à Arras et vint s'installer à Coulommes. Une fois de plus, il allait tenter de refaire sa vie dans une petite exploitation agricole. Lepelletier, qui s'étonne à bon droit d'une entreprise aussi peu raisonnable, est persuadé que l'idée venait de Mme Verlaine, inquiète de voir qu'à Paris son fils n'avait pas, en six mois, réussi à trouver une situation. Delahaye est plus formel : c'est elle qui insista pour que Verlaine retournât à la campagne; il obéit avec le sentiment que sa mère commettait une erreur.

Ce séjour à Coulommes devait durer un peu plus de vingt mois, jusqu'en juin 1885. Plus tard, lorsqu'il racontait sa vie, Verlaine plaçait à ce moment précis l'abandon de ses longs efforts de dignité et de vertu.

Vie très bien, avant, disait-il; après, vie de bâton de chaise. Nul doute en effet qu'il s'est alors abandonné. A l'ivrognerie, d'abord. Mais aussi à ces amours que l'on soupçonne plusieurs fois à travers sa vie, mais que le plus souvent il réussissait à cacher. A Coulommes il ne dissimule plus guère. Il faisait venir de Paris même, nous apprend-on, d'inquiétants garnements. Autour de lui circulaient des « galopins aux yeux de tribades » et la *Dernière Fête Galante* annonçait, dans un mouvement de défi,

L'embarquement pour Sodome et Gomorrhe.

Plus tard il racontera à Cazals qu'en une semaine de folie il avait dépensé 7 000 francs. Dans le milieu infâme où il plongeait, il eut des aventures. Deux chenapans un jour le rossèrent pour le dévaliser.

Les dettes s'accumulaient. Prévoyant des complications, Mme Verlaine, par acte passé le 17 avril 1884 chez Me Chartier, notaire à Attigny, fit donation à son fils de sa ferme de Coulommes, mais avec clause d'insaisissabilité. A la fin de l'année, Verlaine se trouvait avec trois ou quatre procès sur les bras. Il ne restait plus qu'à liquider l'entreprise désastreuse. Chez son notaire d'Attigny il vendit le 8 mars 1885 sa ferme pour la somme de 2 200 francs. Sa mère, que ses violences effrayaient, s'était réfugiée depuis février chez ses voisins, le ménage Dave.

Lorsqu'il venait à Paris, il logeait chez Courtois, vins et tabac, rue de la Roquette, dans son ancien quartier. Le 9 février 1885 il descendit à l'Austin's Hôtel, rue d'Amsterdam, près de la gare Saint-Lazare, et ce n'est pas sans apparence de raison que Lepelletier le soupçonne d'avoir à cette date rêvé de s'enfuir en Angleterre. Il revint pourtant à Coulommes. C'est là que dans une crise d'ivresse il se jeta sur sa mère et menaça de la tuer. Les voisins portèrent plainte.

Le 24 mars 1885 il comparut devant le tribunal correctionnel de Vouziers. Il fut condamné à un mois de prison. Lorsqu'il sortit de la maison d'arrêt, le 13 mai 1885, sa mère s'était éloignée. Il se trouva seul et, pour la première fois, sans ressources.

Les biographes sont restés longtemps dans l'ignorance sur les mois qui suivirent la sortie de prison. On a imaginé qu'il erra sur les routes depuis mai jusqu'au mois d'octobre suivant. Une note que M. de Bouillane de Lacoste a relevée sur le manuscrit autographe de *Bonheur* prouve que le 13 juin déjà, Verlaine était à Paris, au 6 de la Cour Saint-François. D'autre part les *Souvenirs* du poète décrivent ses aventures du côté de Juniville, le 1er juin. Entre sa sortie de prison et le 1er juin, il est probable qu'il est allé chercher refuge et secours chez son vieil ami l'abbé Dewez, dans les Ardennes belges.

Ce retour à Paris en juin 1885 ne se compare pas à celui de 1882. Cette fois, c'est la misère. Le mobilier a été vendu à Coulommes. Du capital, il ne reste qu'un paquet de titres, vingt mille francs environ, que Mme Verlaine conserve comme dernière ressource. Une fois de plus elle a pardonné, elle est venue rejoindre son fils. Elle a pris une chambre au premier étage, tandis qu'il occupe une pièce au rez-de-chaussée, au-dessous d'elle.

Ce logement de la Cour Saint-François, hôtel du Midi, était un misérable taudis. Les conditions de vie étaient atroces. Dans sa chambre du rez-de-chaussée, sans plancher, sans carrelage, prenant jour sur une sorte de puits, glaciale et suintante, le malheureux Verlaine était cloué par une hydarthrose du genou gauche. Elle avait apparu en septembre. La jambe était enflée, le genou raide, le pied mort. Un médecin, le Dr Jullien, soignait le malade : il ordonna de mettre la jambe dans une gouttière. Mme Verlaine se dévouait sans précaution. Elle prit froid. Le 21 janvier 1886, elle mourut. L'escalier trop étroit ne laissait pas passer le cercueil. Il fut descendu par la fenêtre sans que le fils imprudent et coupable pût revoir une dernière fois celle qui l'avait trop aimé et qu'il avait entraînée dans sa ruine.

C'est alors que les Mauté reparurent. Le 25 janvier, ils firent mettre les scellés sur la chambre de Mme Verlaine. Ils fondaient leur requête sur le fait que Verlaine n'avait pas payé la pension de 1 200 francs à laquelle le tribunal l'avait obligé pour l'entretien du petit Georges. Lorsque le juge de paix se présenta, Verlaine lui fit remettre le paquet de 20 000 francs de titres que sa mère avait laissé et qui restait caché sous un matelas. Geste à la fois admirable et insensé. Car lorsqu'il eut payé l'enterrement de Mme Verlaine et acquitté ses factures, il restait au malheureux exactement 800 francs.

Les dernières années

Il avait encore dix ans à vivre. Cette dernière période, les biographes la peignent souvent dans une teinte uniforme, comme si elle n'avait été qu'un long et monotone enchaînement d'abjections et de misères. Si nous voulons comprendre Verlaine, il importe au contraire de distinguer avec soin les moments, les climats successifs, les chutes et les redressements dont se formèrent ces dix années.

Après le geste atroce des Mauté, il se trouvait cloué au lit et sans ressource. Son seul espoir était de récupérer 1 500 francs que lui devait, depuis des années, un ancien vicaire de Saint-Gervais et un millier de francs que le notaire de Juniville lui devait encore. La première affaire est obscure. Lepelletier a dit que parmi les causes de sa ruine, Verlaine mettait la captation d'un ecclésiastique spéculateur et indélicat. Il a dit aussi qu'il y avait eu escroquerie et qu'elle avait privé Verlaine de ses dernières ressources. Il s'agissait d'un abbé Salard. Sa dette remontait, pour le moins, à l'époque de Coulommes. En septembre 1884, Verlaine s'était inutilement adressé à l'archevêché de Paris. La dette s'élevait à cette époque à 1 500 francs. En 1888, ce débiteur récalcitrant n'avait pas encore remboursé à Verlaine ce qu'il devait. Le notaire de Juniville montra aussi peu d'empressement à s'acquitter de ses obligations envers le poète.

Au début de juillet 1886 des ulcères apparurent aux jambes. Verlaine se présenta à l'hôpital Tenon et y resta jusqu'au 2 septembre. Il faut croire que l'espoir et l'énergie étaient enracinés en lui. Un peu d'argent comptant, l'attente des sommes que lui devaient le prêtre et le notaire suffisaient à lui donner du courage. Il retourna à l'hôtel du Midi, il retrouva son misérable logis. Mais dès le 3 novembre il lui fallut reprendre le chemin de l'hôpital. Ce fut cette fois Broussais qui l'accueillit. L'ankylose du genou gauche était complète, les ulcères ne se fermaient pas. Le Dr Nélaton, qui le soignait, déclara qu'il n'y avait rien à faire. Il attribuait les ulcères à une ancienne syphilis. Une lettre de cette époque prouve la violence du désespoir chez le malade.

Il s'était juré, en quittant la Cour Saint-François, qu'il n'y retournerait jamais. Lorsqu'il sortit de Broussais, en février 1887, il lui fallut pourtant regagner l'abri misérable. Cette année 1887 fut celle de la plus grande détresse et, dans le reste de sa vie, Verlaine ne connaîtra plus si profond, si total dénûment. « Misère et presque corde », a-t-il écrit sur cette horrible période de mars-avril 1887. Il envisagea le suicide. L'hôpital le sauva. Son éditeur et ami, Léon Vanier, était intervenu auprès du Dr Nélaton. Le 19 avril il entra à Cochin et au mois de mai on l'envoya à Vincennes. Les idées de mort se dissipèrent. Mais l'avenir restait effrayant. Toute sa pensée se tendait vers un salut qu'il fallait trouver à tout prix.

D'hôpital en hôpital, de Vincennes à Tenon et de Tenon à Vincennes, il gagna les premiers jours de septembre. Ce fut alors, selon son expression, « le plongeon, le débat dans les roseaux, presque l'anéantissement, mi-enlisement, mi-noyade ». La correspondance, lorsqu'on rétablit la date et l'ordre exact des lettres, confirme les souvenirs du poète. Vers le 15 septembre 1887, Verlaine a, très littéralement, failli mourir de faim. Quelques amis vinrent à son secours, et Coppée envoya 50 francs. Cette charité, faite à temps, permit à Verlaine de gagner quelques jours, et vers le 20 septembre Broussais l'accueillit une fois de plus. Il y resta tout l'hiver.

C'est en 1888 que l'on commença de voir, au Quartier Latin, un homme claudicant, martelant le pavé de sa canne. Il arpentait chaque jour le boulevard Saint-Michel, escorté d'une phalange de jeunes poètes et passant des heures au Soleil d'or, au Cluny, au François Ier. Les portraits que nous avons de lui prouvent que c'est cette année-là qu'il a pris son aspect définitif, cette physionomie qui tient de Socrate et du faune, où se discernent la conscience du génie, le mépris des convenances, l'acuité de l'intelligence et la redoutable sensualité. C'est à cette époque qu'il se prit d'une véritable passion pour le jeune peintre Cazals. Il le connaissait depuis 1886, mais cette amitié prit, pendant quelques mois de 1888-1889, un caractère de violence qui rappelait les excès anciens. Elle s'apaisa d'ailleurs par la volonté du jeune homme.

Il partageait sa vie entre les hôpitaux et les garnis du Quartier Latin. Il était devenu un habitué de Broussais. Après le Dr Jullien et le Dr Nélaton, le Dr Chauffard l'avait pris en amitié. Il l'emmenait parfois avec lui dans un petit restaurant où il lui offrait un repas. La salle Lasègue, où il avait été placé, devint un moment une sorte de salon où il recevait ses admirateurs. L'administration dirigeait sur la même salle les poètes faméliques et malades qui se présentaient. A ce que prétend Cazals, il arriva que sur les dix lits de la petite salle, quatre fussent occupés par des nourrissons des Muses.

A l'hôpital, Verlaine travaillait. Au cours de ses longues insomnies il composait les vers de *Bonheur* et de *Liturgies intimes*. Il avait obtenu le privilège d'avoir une lampe de chevet. Mais parfois aussi il passait des journées entières dans de très vives souffrances et ne pouvait plus alors ni se lever, ni lire, ni travailler. L'état de sa jambe ne s'améliorait pas. En 1887 il parlait de son « atroce claudication », il se plaignait des ampoules et des écorchures qui en étaient la conséquence. Son cœur donnait des signes de fatigue et les médecins avaient découvert une péricardite. A la fin de 1888 il ne pouvait presque plus marcher.

Lorsqu'il n'était pas à l'hôpital, il logeait dans quelque hôtel de la Rive Gauche. Il avait quitté la Cour Saint-François sans esprit de retour. A en croire Cazals, il alla d'abord se réfugier rue de la Huchette. Puis il passa à l'hôtel Royer-Collard, au 14 de la rue du même nom. Une fiche du service des garnis prouve qu'il se trouvait le 25 mars 1888 dans cet immeuble qui était, au dire d'un témoin, un hôtel « atrocement borgne ». Il y resta jusqu'à la fin de novembre. Il avait pris conscience de sa gloire grandissante et réunissait, chaque mercredi, dans sa chambre, ses plus fervents admirateurs. Ces soirées, simples mais décentes, rassemblèrent parfois jusqu'à une quarantaine d'invités. On y voyait Villiers, Barrès, Vicaire, Ary Renan, Rachilde, Moréas, sans parler de Cazals, de Jules Tellier, de Paterne Berrichon, du romancier D'Argis et de Fernand Clerget.

De l'hôtel Royer-Collard, Verlaine passa vers la fin d'octobre 1888 à l'hôtel des Nations, au 216 de la rue

Saint-Jacques. Il a décrit, en quelques lignes pittoresques, l'escalier terrible, la rampe et ses supports d'arbres à peine équarris, peints en rouge sang, la bougie qui restait allumée sur le rebord d'une fenêtre pour éclairer les invités du poète. Car les *mercredis* continuaient, arrosés parfois de bière, parfois d'eau sucrée et de rhum. De très fortes douleurs rhumatismales, en décembre 1888, obligèrent Verlaine à reprendre le chemin de Broussais. Lorsqu'il en sortit, au mois de février 1889, Maurice Barrès lui trouva une chambre à l'hôtel de Lisbonne, 4, rue de Vaugirard. C'était un hôtel confortable où Gambetta avait jadis logé. A la table d'hôte, Verlaine rencontrait des habitués sympathiques, parmi lesquels se trouvaient quelques femmes jeunes et spirituelles. La gérante de l'hôtel aimait la poésie et voyait avec indulgence les allées et venues des trop nombreux amis du poète; les *mercredis* continuaient. Mais lorsqu'elle voulut empêcher d'autres visites qui pouvaient nuire au bon renom de son hôtel, Verlaine s'en alla.

Au mois de février 1890, après un séjour de cinq mois à Broussais, nous le retrouvons à l'hôtel des Mines, 125, boulevard Saint-Michel. C'était une maison d'aspect sérieux, strictement confortable. La clientèle était bourgeoise et calme, et l'atmosphère de l'hôtel comme celle du voisinage faisait penser au quartier Saint-Sulpice plutôt qu'au Quartier Latin. L'éloignement découragea les habitués des *mercredis*. Ils disparurent. Verlaine ne s'en plaignit pas. Cette période fut une des plus laborieuses de sa vie, et il put achever d'anciennes choses jadis ébauchées. Il se distrayait en fréquentant les réunions de *la Plume*, à l'autre extrémité du boulevard Saint-Michel.

A qui regarde de près le détail de cette vie, il apparaît qu'elle fut bien moins désordonnée que ne veut la légende. Il est clair que peu à peu Verlaine remonte la pente. Il avait touché le fond en 1887. L'année suivante avait été terrible encore. C'est à cette date que Léon Bloy vit le poète de *Sagesse* en proie à un désespoir effrayant et rêvant de suicide. Verlaine avait alors, encouragé par Bloy et par Huysmans, espéré que son ancien ami l'abbé Dewez le recueillerait chez lui à Corbion, dans les Ardennes belges. Mais l'abbé Dewez répondit qu'il n'était pas de ceux qu'on prenait aisément pour dupes, et il ne resta plus à Léon Bloy qu'à lui envoyer une lettre éloquente et injurieuse.

Mais à l'hôtel de Lisbonne, à l'hôtel des Mines, Verlaine, dont les ressources augmentaient lentement, put se créer une vie moins inquiète. Il se levait de bonne heure, souvent à 3 heures du matin, et allumait sa lampe. Il écrivait. Quelquefois le poème était achevé à 8 heures et le poète allait le porter chez Vanier. Il continuait de travailler jusqu'à l'heure fatale de l'apéritif. C'est alors qu'il quittait sa chambre et se rendait dans un de ses cafés habituels. Il y rencontrait des amis à qui, généreusement, il offrait à boire. On a retrouvé certains relevés de dépenses, établis par ses logeurs. Les repas n'y tiennent que peu de place. Mais les « tournées » se soldent chaque jour, dans un seul établissement, par une moyenne de 20 à 25 francs, et pour apprécier exactement ce chiffre, il faut se souvenir qu'un bon ouvrier gagnait alors 5 francs par jour. On a, lorsqu'on examine ces comptes, l'impression que Verlaine prenait beaucoup trop d'apéritifs, mais qu'il se ruina surtout à donner à boire aux amis.

Pourquoi l'imaginer toujours ivre? Albert Lantoine, qui l'a vu plusieurs fois vers cette époque, au *Chat Noir*, le décrit lucide et taciturne, les mains appuyées sur sa canne, n'attirant guère l'attention : ce qui seulement frappait chez lui, écrit ce témoin, c'était son regard limpide et merveilleusement enfantin. Les nombreux croquis que nous a laissés Cazals, où nous voyons Verlaine au café, confirment l'impression de Lantoine, et Ernest Raynaud a dit que ces dessins sont, pour juger exactement Verlaine, le plus sûr, le plus vrai des documents.

À rassembler les témoignages on éprouve un embarras profond. Certains, qui ne l'approchaient pas et le croisèrent seulement au Quartier Latin, ont gardé de lui un affreux souvenir. André Gide l'a vu, ivre et furieux, entouré de gamins qui le huaient, tenant à deux mains son pantalon sans bretelles. Valéry a conservé des impressions du même ordre. Jules Renard l'observa à un dîner de *la Plume* le 8 mars 1892. « L'effroyable Verlaine, écrit-il, un Socrate morne et un Diogène sali; du chien et de la hyène. »

Mais ceux qui ont pénétré dans l'intimité de sa vie ont parlé de lui bien autrement. Ils ont dit ce qu'il gardait de fier, de délicat, de courageux, en ces années mêmes où il semblait s'être abandonné. Moréas a dit que son côté vrai, c'était le côté cavalier et cape espagnole. Un écrivain suisse qui le vit beaucoup alors a loué sa gaîté. Elle était, dit-il, le fond de sa nature, riche, profuse, généreuse, primesautière. Rachilde écrit de son côté : « On l'a trop souvent représenté les coudes sur une table de café, devant un verre d'absinthe : c'était de naissance un homme d'intérieur et de goûts délicats ». Bien plutôt que les biographes qui forcent le ton et ne veulent voir que l'abjection, retenons ces mots si justes de Cazals : « Ce vieil enfant terrible et ingénu... », et ceux de Maurice Baud qui y font écho : « C'était un enfant terrible, que tout désolait, et séduisait, ou enchantait ».

Chose étrange, sa terrible vie avait modelé et repétri son visage, lui avait conféré une manière de beauté. Rachilde a noté son regard terrible, aigu, noir, le regard d'un roi. Son visage était prodigieusement mobile et expressif. Il passait en un instant de la gaîté malicieuse à des colères jupitériennes.

Cet homme au corps usé et au costume rapé avait, dans sa déchéance, la dignité d'un prince ou d'un titan foudroyé. André Gide a dit que lorsqu'il était ivre, Verlaine était « formidable ».

Ce n'est pas une recherche indiscrète que de vouloir discerner, dans la vie de Verlaine, la place qu'y occupait le plaisir. Cour Saint-François, il vivait avec des filles. L'une d'elles, une certaine Marie Gambier, fut sa compagne durant quelques mois : elle est la Princesse Roukine de *Parallèlement.* On devine d'autres présences féminines, les premières depuis Mathilde. Mais il n'en faudrait pas conclure que Verlaine se refuse désormais les voluptés interdites. L'obscène recueil d'*Hombres* a été écrit en 1891, et l'on croira difficilement qu'il ait été un simple jeu. Une étrange figure du Quartier Latin, André Salis, dit « Bibi la Purée », n'a pas caché à André Billy qu'il avait jadis entretenu avec Verlaine des relations corydonesques.

Il n'en est pas moins vrai que des femmes apparaissent dans la vie de Verlaine à cette époque. On signale une certaine Caroline Teisen, Allemande ou Lorraine de trente ans, insignifiante et douce. On prononce les noms d'Andrée, de Marie, et celui de Lily, qui n'est peut-être autre que Caroline Teisen. A l'époque même où le poète s'était à peu près fixé, il lui arriva de coucher, vingt jours de suite, avec vingt filles ramassées au hasard. Une note de police du 9 février 1892 signale qu'il « fait sa fréquentation habituelle des filles publiques ».

Mais à cette époque déjà il partageait sa vie de façon presque régulière entre deux femmes, Philomène Boudin et Eugénie Krantz. Il connaissait la première depuis 1887. C'était une ancienne paysanne qui, séduite et abandonnée, avait cherché refuge à Paris. Elle était, au dire de Lepelletier, aimable, douce et sororale, avec des allures de bourgeoise pauvre. Elle était restée belle et gardait, malgré ses quarante ans, une sorte de jeunesse. Elle avait seulement ce défaut d'avoir un amant, certains disent, hélas, un souteneur, qui montrait au poète une sorte de déférence, qui affectait même de le prendre sous sa protection, mais ne faisait pas scrupule de le dévaliser, de complicité avec la douce Philomène.

Au mois de février 1891, Verlaine était venu loger à l'hôtel de Montpellier, 18, rue Descartes. Le gérant s'appelait Paul Lacan et, malgré ce nom, il semble qu'il faille l'identifier avec cet Américain aux épaules d'athlète et à la face de brute dont Cazals a parlé. Philomène avait lié ses intérêts à ceux de Lacan. De plusieurs textes il ressort que pendant le printemps de 1891 elle fut la compagne habituelle du poète.

Mais au mois de mai il fit la rencontre d'une autre femme, Eugénie Krantz. Elle avait été, dans les dernières années de l'Empire, une figure de la galanterie parisienne. Elle avait même été, depuis, la maîtresse de Constans. Mais elle avait vieilli, elle était devenue laide « comme les sept péchés capitaux », et du même coup s'était rangée. On ne lui connaissait pas d'amant. Elle était bonne ménagère et s'assurait de quoi vivre en travaillant sur sa machine à coudre pour la Belle Jardinière. Cette apparence de petite bourgeoise économe séduisit Verlaine, malgré la rapacité de cette femme, son humeur querelleuse et jalouse.

Au dire d'un biographe bien informé et qui s'appuie sur des documents restés inédits, Verlaine, à partir du mois de mai 1891, se livra avec une fureur imprudente à cette passion nouvelle. Il oublia toutes les prescriptions des médecins et se trouva bientôt ruiné et perclus de tous les membres. Alors commencèrent ces scènes d'un comique affreux qui allaient enlever à sa vie ce qui lui restait de dignité. Philomène écartée surveillait sa rivale, venait la braver dans la rue. Elle avait ses espions, et Eugénie les siens. Bibi la Purée portait les messages d'Eugénie, Paul Lacan était le *supporter* de Philomène.

Pour l'amour d'Eugénie Krantz, Verlaine se ruinait. Il devenait incapable de payer sa chambre. Le 21 septembre 1891, Lacan lui refusa l'entrée de l'hôtel. Verlaine était gris. Un ami, Henri Chollin, l'accompagnait. Les trois hommes se battirent et Verlaine s'en fut loger au 15 de la même rue, dans un hôtel fréquenté par des souteneurs et des filles. Il écrivait maintenant : « Mlle Krantz, qui est digne de toute confiance et que j'aime beaucoup... »

Désormais il se partagera entre ces deux femmes. Le règne d'Eugénie dura, sauf quelques infidélités, jusqu'au milieu de 1892. Il est probable qu'à cette date elle l'abandonna. La misère était revenue. Il retourna à Broussais et Philomène reparut. Il fulminait alors contre « Mlle Euménide », comme il disait. Ce fut Philomène qui vint à Broussais, pendant l'hiver 1892-1893, visiter Verlaine malade. Mais sa rivale n'avait pas renoncé à le reconquérir. Lorsqu'il sortit de l'hôpital, en février 1893, il alla loger 9, rue des Fossés Saint-Jacques, c'est-à-dire chez Eugénie. Celle-ci était redevenue sa « décidément meilleure amie ».

La santé de Verlaine ne s'améliorait pas. Au mois de novembre 1891, il avait dû reprendre la route de Broussais. Il souffrait de rhumatismes, de souffles cardiaques, d'un commencement de diabète et d'une fin de syphilis. Il revint à l'hôpital au mois d'août suivant, puis au mois de décembre 1892. En mai 1893 l'érysipèle infectieux de la jambe gauche s'aggrava. Il souffrait beaucoup. Il se résigna, en juin, à demander l'admission à Broussais. Son ami le Dr Chauffard jugea l'état du malade plus sérieux que lui-même ne pensait. Bientôt en effet Verlaine se mit à délirer. On put craindre une issue fatale. La crise passa, mais la jambe de Verlaine se couvrit d'abcès infectieux qu'il fallut traiter au bistouri. La maladie de cœur interdisait de l'endormir.

Dans ces moments-là Eugénie ne se montrait guère. Philomène fut attentive au contraire, assidue et affectueuse. Verlaine forma le projet de l'épouser. Il disait maintenant : ma femme, Philomène. Le mariage devait avoir lieu à son retour d'Angleterre, où il était allé faire des conférences. Mais Eugénie veillait. Elle sut éclairer Verlaine sur certaines indignités de sa rivale, et c'est une fois de plus chez elle, 187, rue Saint-Jacques, qu'il alla loger au mois de décembre 1893. C'était une pauvre chambre au 5e. Le sol était de carreaux rouges. C'est à peine si un peu de clarté pénétrait dans ce réduit obscur. Au mur, des chromos. Deux fauteuils, quatre chaises, un lit d'acajou massif formaient le mobilier. Une machine à coudre attestait la présence et l'activité d'Eugénie.

Après la chambre sordide de l'hôtel de Montpellier, le misérable logement de la rue Saint-Jacques prouve la rechute. Le poète, qui de 1886 à 1890 avait remonté la pente, est retombé par la faute de Philomène qui le vole et d'Eugénie qui l'exploite. Ce n'est pas pourtant qu'il ne gagne de l'argent. Ses livres se vendaient bien; les amateurs se disputaient ses autographes. On le demandait pour des conférences en Hollande (novembre 1892), en Belgique (mars 1893), en Lorraine et en Angleterre (novembre 1893). Ces tournées lui rapportaient des sommes qui feraient rêver bien des conférenciers d'aujourd'hui. Celle d'Angleterre lui valut 1 500 francs, c'est-à-dire plus de 6 000 francs lourds d'aujourd'hui. Quand il revint de Belgique, il avait mille francs dans son portefeuille.

Si la situation ne se redressa pas davantage, c'est qu'il faisait de l'argent un usage insensé. En 1890, Léon Deschamps, qui fit tant pour l'aider dans les moments difficiles, écrivait à René Ghil que le poète venait, en quelques jours, de dépenser 600 francs.

« Il fait une noce effroyable », expliquait-il. En Angleterre, il disparut pendant deux jours et revint sans un penny. Les 1 000 francs qu'il rapportait de Belgique lui furent subtilisés dès son retour à Paris. Dans une lettre à Philomène il lui reprochait « trois mille francs dépensés ou mis de côté sans profit pour lui ».

Au mois d'avril 1894, l'état de sa jambe empira à tel point que le Dr Jullien le fit entrer à l'hôpital Saint-Louis, pavillon Gabriel, malade payant. Il y mena quelque temps une vie assez douce et se remit à travailler. Eugénie l'avait abandonné. Elle habitait maintenant 48, rue du Cardinal-Lemoine. A sa sortie de l'hôpital il lui écrivit pour reprendre la vie commune. Il avouait alors qu'elle lui était indispensable malgré son terrible caractère. Elle ne céda pas. A l'hôpital il avait reçu de l'argent. Puisqu'Eugénie ne voulait plus de lui, il alla prendre logement à l'hôtel de Lisbonne où il avait connu jadis de meilleurs jours. Il loua une chambre avec une belle vue sur le jardin du Luxembourg. Eugénie fit des scènes. Elle déchira des papiers du poète et refusa de lui rendre certains objets qu'elle avait gardés chez elle.

Une dernière fois il entra à l'hôpital au mois de décembre 1894. Il en sortit au bras de Philomène, qu'il appelait plaisamment « sa veuve adorée ». Abandonné par elle dans une chambre d'hôtel après une querelle abominable, il erra quelques jours de garni en garni. Il écrivait alors : « Plus de femme, ni de femmes. » Mais Eugénie le reprit. Nous le retrouvons au mois de février dans la mansarde qu'elle occupait, 16, rue Saint-Victor, cloué au lit par une rechute; un abcès s'était déclaré sous le pied gauche. Il fut soigné par elle avec dévouement et sa santé parut s'améliorer. L'ordre revint dans ses finances. De plus en plus largement l'argent venait. A la fin de septembre, le ménage alla se fixer, 39, rue Descartes. C'était un appartement de deux pièces et une cuisine. La salle à manger donnait sur la cour, mais la chambre était bien éclairée par deux fenêtres sur la rue. Eugénie acheta quelques meubles, un canapé, de grands rideaux. Elle acquit un pot de couleur d'or, et Verlaine, consciencieusement, entreprit d'en couvrir ses chaises et jusqu'à son pot à tabac. Il éprouvait, devant ce retour d'un humble confort, une joie d'enfant et montrait aux visiteurs le peigne à moustache qu'Eugénie lui avait offert. Elle faisait même venir une femme de journée, Zélie. Le poète portait maintenant du linge propre et dormait dans des draps blancs.

Il semblait enfin, dit Cazals, avoir conquis le calme et la sérénité. Il avait presque renoncé au café, et l'absinthe ne le tentait plus. Il y avait peut-être un peu d'enfance dans son cas, et de précoce sénilité. Ce fut l'impression de Lepelletier, et Charles Donos parle de ses facultés amoindries. Certaines anecdotes pourtant invitent à penser que l'esprit restait toujours aussi alerte et malicieux dans un corps où les passions s'étaient apaisées. Eugénie veillait sur lui, « chipie et vieille garde, sous des airs de Jenny l'ouvrière ». Elle exerçait sur le poète une surveillance jalouse. Mais il n'en était plus à rêver de liberté.

Au début de décembre 1895 la jambe recommença d'enfler. Il sortit pourtant, le 7 décembre, pour aller dîner dans un restaurant de luxe, chez Foyot, où Robert de Montesquiou avait eu l'idée saugrenue de l'inviter. Encore faut-il préciser que le noble comte paya le dîner, mais ne se dérangea pas. Son secrétaire, Yturri, le remplaçait. A Noël, des maux d'estomac, un rhume négligé obligèrent Verlaine à garder la chambre. Le Dr Parisot ordonna un régime sévère. Le dimanche 5 janvier 1896, Verlaine eut un peu de délire. La fièvre ne tomba que dans l'après-midi. Le mardi 7, il allait mieux, Il se leva. Il dîna avec Le Rouge et sa femme. Le repas fut cordial et gai. Delahaye, qui était venu, s'inquiéta pourtant. Il songea à parler des sacrements. Mais Verlaine mit la conversation sur un autre sujet. Le soir, la fièvre reprit. Eugénie s'affola. Que se passa-t-il alors? Y eut-il une dernière querelle, où le malheureux, en se débattant, fut précipité sur le sol? Plus probablement, Verlaine, obligé de sortir du lit, ne put tenir debout et tomba. Eugénie fut incapable de le relever. On a dit qu'elle l'abandonna, nu, sur le carrelage glacé de la chambre. En réalité, elle l'enveloppa de couvertures, et mit sur lui un édredon, puis elle s'en alla pleurer chez des voisins.

Au petit jour, on releva le malade, on le remit au lit. Mais il était perdu. La broncho-pneumonie s'était déclarée. On appela le Dr Parisot. Il accourut et jugea l'état désespéré. Cazals et le ménage Le Rouge aidaient Eugénie désemparée. Le Dr Chauffard vint aussi. Il ordonna des sinapismes. Peu de temps après, Verlaine entra dans le coma. Toute la journée du 8 janvier 1896, des amis nombreux s'étaient présentés au pauvre logis de la rue Descartes. A 8 heures, quand ils revinrent, Verlaine venait de mourir.

Les funérailles furent solennelles. Les cordons du poêle furent tenus par Barrès, Coppée, Lepelletier, Mendès et Montesquiou. Charles Widor était aux orgues. Le ministère des Beaux-Arts était représenté. Plusieurs milliers de personnes suivirent le corbillard, de Saint-Étienne-du-Mont jusqu'aux Batignolles. Sur la tombe, des discours furent prononcés par Coppée, Barrès, Kahn, Mallarmé, Mendès et Moréas.

L'œuvre

5 LES PREMIERS RECUEILS

Les débuts

Les vers les plus anciens que nous possédions de Verlaine datent de 1858. Il était alors élève de quatrième. Nous en avons d'autres, plus nombreux, qu'il écrivit en rhétorique. Mettons à part quelques traductions en vers français des poètes latins; ce sont de simples exercices. Dans les autres pièces, où le poète novice s'essaie à la composition originale, on discerne les premières influences subies et certaines directions qui se dessinent déjà. Les maîtres sont évidemment, dès 1858, Victor Hugo, et à partir de 1861 Baudelaire. Le premier de ces deux noms n'étonne pas. Celui de Baudelaire surprend davantage, car à cette date *les Fleurs du Mal* sont une œuvre toute récente, qu'un lycéen ne saurait lire qu'en cachette, l'expression exaspérée de sentiments qui demeurent étrangers à la plupart des contemporains.

Ce que l'élève du Lycée Bonaparte a sans doute dès lors discerné en Baudelaire, ce qu'il y a d'abord goûté, c'est la trouble sensualité qui subsiste chez ceux mêmes qui s'efforcent à une chimérique pureté.

Aspiration, en 1861, exprime sous une forme encore naïve ce rêve de fuite hors de la vie et de ses laideurs, vers un idéal de beauté et de tendresse. Une fuite

> Loin de tout ce qui vit, loin des hommes, encor
> Plus loin des femmes.

L'on serait tenté de sourire de ces vers d'un enfant de dix-sept ans si l'on n'y voyait inscrites les lignes de son destin.

Au lendemain de son baccalauréat, en 1863, Verlaine entra en rapports avec le monde des gens de lettres. Louis-Xavier de Ricard venait de fonder, au mois de mars, sa *Revue du Progrès moral.* Un ami de Verlaine, Miot-Frochot, le mena aux bureaux de la *Revue.* Ricard accepta de publier, dans le numéro d'août 1863, un sonnet satirique, *Monsieur Prudhomme.* Verlaine et son ami Lepelletier s'attachèrent dès lors à Ricard.

L'erreur qu'il faut se garder de commettre, c'est d'imaginer que ce petit groupe d'amis professe dès lors les principes qui trois ans plus tard deviendront ceux du Parnasse. *La Revue du Progrès moral* était très loin de soutenir les thèses de l'École de l'Art. Elle maltraitait Gautier, Flaubert, Vigny même. Elle exaltait la poésie morale et scientifique, celle qui se dévoue au Progrès. Ricard, en cette même année 1863, a publié *les Chants de l'Aube.* Il y nomme ses maîtres. Ce sont Quinet, Népomucène Lemercier et Dupontavice de Heussey. A un admirateur de Baudelaire ces vues devaient paraître singulières. Mais Verlaine ne voulut sans doute pas s'apercevoir de certaines étrangetés. Il se laissa entraîner par Ricard, il se fit républicain et pensa qu'un temps viendrait où l'action et le rêve seraient réconciliés, où les poètes seraient les guides de l'humanité, où la vie deviendrait beauté. En mars 1864, *la Revue du Progrès moral* fut supprimée « pour outrage à la morale religieuse » et pour avoir parlé d'économie politique sans autorisation. L.-X. de Ricard fut condamné à huit mois de prison. Verlaine et Lepelletier lui restaient fidèles. Ils se retrouvèrent à ses côtés lorsqu'il eut accompli sa peine..

C'est à cette époque, dans les dernières semaines de 1864, qu'ils firent la connaissance de Catulle Mendès; celui-ci se trouvait par hasard logé sur le même palier que Ricard. Mendès jouait depuis 1861, parmi quelques jeunes, un rôle d'animateur. Il groupait autour de lui Glatigny, Sully-Prudhomme, Villiers, Dierx, Heredia. Il représentait une direction toute différente de celle de Ricard. C'était la tradition fantaisiste qui continuait grâce à lui. Gautier et Banville étaient ses dieux. En 1863, dans *Philoméla*, il avait imité Henri Heine, il avait écrit des vers païens, professé une doctrine de l'art où il n'est pas difficile de discerner l'influence de Gautier, bien plus forte que celle de Baudelaire. L.-X. de Ricard fut bientôt conquis, et lui qui avait jusqu'alors dénoncé les mandarins de l'Art, il écrivit, en décembre 1864, un poème à la Vénus de Milo, à la beauté sereine que les passions ne viennent pas troubler. On pouvait y lire ces vers où est prononcé un mot qui bientôt allait faire fortune :

> Poète, garde ainsi ton âme intacte et fière;
> Que ton esprit, vêtu d'impassibilité,
> Marche à travers la vie au but qui l'a tenté.

Verlaine s'engagea dans la même voie. Il devint, lui aussi, un *impassible*.

Ses relations s'étendaient. En 1865 il fit la connaissance de Sully-Prudhomme, qu'il rencontra chez le peintre Brown, alors lié à Massol et au groupe de la Morale indépendante. Il se lia avec Anatole France chez un certain Destailleurs, qu'il avait connu à Condorcet : bientôt après il retrouva France chez

Ricard. En même temps certaines lectures modifiaient son orientation. Il avait un jour trouvé, chez un libraire de la rue Voltaire, *les Vignes folles* de Glatigny. Puis il avait lu *Philoméla* de son nouvel ami Mendès. Ces deux recueils furent longtemps, il l'a dit lui-même, ses livres de chevet. Ils lui firent connaître une poésie bien moins préoccupée de progrès social, beaucoup plus fantaisiste et gratuite que celle de Ricard. Lorsqu'il rencontra Glatigny au café de Suède, il se lia d'amitié avec ce bon compagnon dont il estimait hautement le talent.

Ricard venait de fonder une nouvelle revue, *l'Art*. Le titre seul, lorsqu'on le compare à celui de *la Revue du Progrès moral* dit clairement le chemin parcouru et la direction prise. On le croirait choisi par Mendès. Ricard pourtant en était l'animateur. Verlaine se tenait près de lui. Il collabora à la revue avec deux poésies et deux études critiques considérables sur Baudelaire et sur Barbey d'Aurevilly. Ricard restait son chef de file. Ils formaient groupe avec Lepelletier, avec France. Il n'était pas question, à cette date, de se mettre sous la direction de Leconte de Lisle. Dans une lettre de mars 1865, Heredia énumère les fidèles qui se retrouvent chez son maître. Il ne cite ni Ricard, ni Verlaine, ni France, ni Lepelletier.

L'Art vivait péniblement. En décembre 1865, il fallut trouver un nouvel éditeur. On vit alors la place que tenait Verlaine auprès de Ricard. Il avait un ami nommé Boutier, poète et violoniste amateur. Celui-ci connaissait un libraire du Passage Choiseul, Alphonse Lemerre. Il mit Verlaine en rapport avec lui, et Verlaine à son tour y conduisit Ricard et Lepelletier. L'affaire fut conclue. Elle le fut, on le notera, sans que Leconte de Lisle, sans que Mendès y fussent pour rien. C'est lorsque *l'Art* eut à son tour échoué et qu'il fut, sur l'initiative de Mendès, remplacé par *le Parnasse*, c'est alors seulement que l'influence de

Ricard fut écartée et qu'il y eut vraiment une École parnassienne. A ce premier *Parnasse* (mars-juin 1866) Verlaine collabora. Il y publia huit pièces de vers. Mais déjà il préparait la publication de son premier recueil.

Si nous essayons de le saisir à cet instant de sa vie, nous observons chez lui certaines tendances déjà accusées. Ce jeune homme est un baudelairien, en dépit de Ricard, de Mendès, de Leconte de Lisle et peut-être de Baudelaire lui-même. Il a un goût net pour les pièces d'humour macabre. Dans *Fadaises* il s'amuse à une sorte de madrigal triste dont le sens n'apparaît qu'au dernier vers : sa Dame, c'est la mort. *L'Enterrement* est caractéristique :

> Je ne sais rien de gai comme un enterrement,

et Lepelletier nous a raconté qu'il dut empêcher Verlaine de conserver cette pièce dans les *Poèmes Saturniens*.

En même temps la doctrine de l'Art, à laquelle il s'est rallié en 1865, prend chez lui une forme abrupte et dogmatique. Les *Vers dorés*, qui parurent dans *le Parnasse* en 1866, expriment bien cette roideur :

> L'Art ne veut point de pleurs et ne transige pas...

On discerne en lui un doctrinaire. Il l'est dans son art, il l'est dans sa philosophie. Il enveloppe d'un même dédain les effusions sentimentales d'un certain romantisme et la religiosité vague qui est alors à la mode chez les démocrates. *Les Dieux*, *Sur le Calvaire* expriment une attitude de révolte militante contre toutes les religions. On serait tenté de voir dans ce dogmatisme une preuve de force et de sérénité si les arrière-plans baudelairiens, si l'humour macabre ne laissaient deviner le désarroi, des obsessions tristes, une angoisse.

Les Poèmes Saturniens

Au début de 1866, Verlaine préparait un volume de vers. Il comptait d'abord l'intituler *Poèmes et sonnets.* Il entrevoyait pour plus tard un second recueil qu'il appellerait *Les Danaïdes, Épigrammes, Études antiques.* Puis il modifia le titre qu'il avait prévu pour le premier. Ce furent les *Poèmes Saturniens.*

Dès maintenant l'on comprend qu'ils ne sont pas l'œuvre d'un disciple exclusif de Leconte de Lisle et que l'orthodoxie parnassienne y joue un moindre rôle qu'on aurait cru d'abord. Parnassiens à coup sûr, et directement inspirés de Leconte de Lisle, les *Orpheus* et les *Alkaios* qu'on y relève. On veut bien croire aussi que quelques mots hindous dans le *Prologue* s'inspirent des *Poèmes antiques.* Mais sur ce point déjà les influences se révèlent complexes. J.-H. Bornecque a découvert que le plus hindou, le seul hindou des *Poèmes Saturniens*, *Çavitri*, vient directement d'un recueil romantique, *la Pléiade.* Dans *les Chants de l'Aube* de L.-X. de Ricard, on relève bien des mots hindous. Ricard était neveu de l'orientaliste Pauthier, et s'intéressait à la poésie de l'Inde. Au mois d'octobre 1864, il écrit *l'Açoka.* Si Verlaine parle de la *Ganga*, Ricard avait employé également, pour parler du fleuve sacré, un tour féminin : il l'avait, dans *Ciel, Rue et Foyer*, appelé « la blanche déesse ». Le mot *padma*, dont se sert Verlaine, se retrouve dans le même recueil : « Le front ceint de padmas... » La correspondance du poète prouve qu'il a lu en 1865 le *Râmayana.* Qui oserait décider que les conseils de Ricard eurent, dans le choix de cette lecture, moins de poids que l'exemple de Leconte de Lisle?

La même complexité apparaît, sur un point d'importance capitale, pour l'exacte interprétation des *Poèmes.* Ils affirment avec intransigeance, avec une conviction passionnée, la doctrine de l'Art pur et de l'impassibilité.

Le nom qui vient d'abord à l'esprit, c'est celui de Leconte de Lisle. C'est presque certainement une erreur. Car cette doctrine, Verlaine l'avait développée l'année précédente dans les articles de l'*Art*, et c'était à propos de Baudelaire. Avec une belle audace, il avait affirmé le caractère secondaire du satanisme baudelairien et mis l'accent sur sa doctrine de l'Art : indépendance réciproque du Beau, du Vrai et de l'Utile, méfiance à l'endroit de la passion, mépris de l'Inspiration, ce tréteau, et des Inspirés, ces charlatans. Dans *les Fleurs du Mal* il admirait non pas une confidence pathétique, mais la maîtrise, le calme glacial dont le poète ne se départ jamais, dans le moment même où l'émotion est la plus forte, l'impertinence flegmatique du poète dandy, le caractère conscient et volontaire d'une œuvre où pas un mot, pas une construction, pas une rime n'est le fruit du hasard, où tout, jusqu'au moindre trait, est le résultat d'une longue méditation.

Voilà la vraie doctrine dont il s'inspire, et Baudelaire est son maître. Il serait sans doute étonné si on lui disait qu'il est l'élève de Leconte de Lisle. A coup sûr il admire celui-ci. Il a lu la préface des *Poèmes barbares* en 1862, si dure pour la poésie de confidence et pour le romantisme élégiaque. Il célèbre la beauté des vers de Leconte de Lisle. Mais les qualités qu'il leur reconnaît sont encore baudelairiennes : ces vers d'airain, dit-il, « retentissent comme des tonnerres lointains sans jamais éclater, par cette suprême loi de l'art que tout éclat est une dissonance, et que le beau, c'est l'harmonie ».

Lorsqu'on relève les imitations involontaires et les réminiscences que trahissent les *Poèmes Saturniens*, les diverses influences se découvrent auxquelles se prête Verlaine. C'est d'abord et naturellement Victor Hugo, mais de façon diffuse et comme on pourrait sans doute l'observer chez n'importe quel jeune poète de cette génération. De Leconte de Lisle plusieurs réminiscences précises suffisent à prouver que Verlaine a son œuvre très présente à l'esprit. Mais beaucoup plus forte est l'emprise de Banville et surtout de Gautier. Verlaine donne l'impression d'être tout rempli de *Mademoiselle de Maupin*, d'en posséder, en détail, les thèmes, les images, les tours. Il se souvient souvent aussi d'Aloysius Bertrand et de son *Gaspard de la Nuit*. Enfin, parmi les jeunes poètes, il en est deux en qui Verlaine a découvert des génies fraternels et dont les vers chantent en lui : Ricard et Glatigny. Une lecture attentive des *Poèmes* fait apparaître, de ces deux poètes, des souvenirs incessants et précis. A la grande influence de Baudelaire, qui enveloppe et domine tout, ils ajoutent une note plus jeune et plus naïve.

Le livre s'intitulait *Poèmes Saturniens*, et ce titre évoquait un vers de Baudelaire, peut-être aussi une phrase de *Mademoiselle de Maupin*. Ces *Poèmes*, c'étaient des aveux d'inquiétude et de désespérance, la plainte d'une âme incapable de maîtriser son destin, d'échapper aux servitudes d'un sang subtil comme un poison et brûlant comme une lave. Une sensualité très exigeante et pourtant vite lassée. Des désirs vagues, mais sans espoir. Une aspiration à la pureté et à la paix, au sein des plaisirs tristes de la chair. La tentation est grande de penser que ces plaintes sont, de la part du poète, la confidence de son angoisse à la veille des grandes catastrophes.

Si l'on en croyait J.-H. Bornecque dans l'édition critique des *Poèmes Saturniens* qu'il nous a donnée, singulièrement riche d'érudition et de la plus subtile intelligence, il faudrait aller plus loin. Il faudrait admettre que dans ce volume Verlaine a laissé deviner la passion malheureuse qu'il aurait éprouvée pour sa cousine Élisa Moncomble, devenue Mme Dujardin. Bien des pièces, dans les *Poèmes*, nous parleraient de la jeune femme. Ce serait elle, la bien-aimée à la voix fraîche qui demande au poète quel fut son plus beau jour; elle, la femme à l'âme pure et bonne qu'il supplie de venir à son aide et de le sauver. Le petit jardin que le poète visite *après trois ans*, ce serait le jardin de Lécluse, vu en 1862 et retrouvé en 1865.

Cette interprétation séduisante ne craint pas de contredire le plus ancien des témoignages. Edmond Lepelletier, qui était alors le plus intime ami de Verlaine, qui le voyait chaque jour, qui selon ses paroles assista à l'enfantement de la plupart des pièces du recueil, Lepelletier est formel : Verlaine n'a mis, dans les *Poèmes Saturniens*, qu'une « préoccupation de dogmatiser, de créer une poétique ». Tout le recueil est impersonnel. Pas un poème qui se puisse rapporter à un événement, à une sensation éprouvée, à une joie ou à un chagrin ressentis. Les femmes auxquelles certains vers sont adressés n'ont aucune réalité. La tristesse où baigne le recueil est jeu de l'esprit, car Verlaine était, à cette époque, bien portant, sans amour au cœur, satisfait des plaisirs rapides à sa portée. Tel est le témoignage de l'ami.

Malgré la très ingénieuse argumentation de J.-H. Bornecque, peut-être ne faut-il pas écarter comme invraisemblables les thèses de Lepelletier. Elles ont cette utilité d'insister sur le caractère extrêmement volontaire et conscient de la poésie verlainienne, de mettre en pleine lumière cette vérité que Verlaine, lorsqu'il compose, est infiniment plus soucieux des effets à obtenir et des moyens d'expression à créer que de l'authenticité des confidences qu'il nous livre. Non pas exactement parce qu'il est Parnassien, mais parce qu'il est nourri de Baudelaire et que la sincérité n'est pas à ses yeux une vertu poétique. Soyons assurés que sa préoccupation n'est pas d'exprimer une angoisse sentie, mais de trouver les alliances de mots, les rythmes, les sonorités, les césures qui donnent l'impression de l'angoisse. Son vrai souci est là.

Et pourtant ceux qui s'efforcent de découvrir, dans les *Poèmes Saturniens*, des éléments non pas empruntés, mais personnels, ne se trompent pas. Ce recueil, impassible d'intention, et qui prétend n'être rien qu'un jeu esthétique, ce recueil est, en dépit du poète, une confidence continue. Il l'est d'abord parce qu'il trahit des formes de sensibilité qui sont propres à Verlaine. Nous admirons, dans les *Poèmes*, des finesses de notation exquises, des subtilités de couleurs et de formes. Il y avait là, plus profondément que toute suggestion venue du dehors, un don inné et des préoccupations intimes, qui étaient apparues très tôt chez le petit garçon. « Les yeux, a écrit plus tard Verlaine, les yeux surtout, chez moi furent précoces. Je fixais tout, rien ne m'échappait des aspects. J'étais sans cesse en chasse de formes, de couleurs, d'ombres. » Si cette merveilleuse sensibilité est moins éprise de lumière éclatante, de couleurs vives, de formes prestigieuses que de fines nuances et de contours estompés, c'est que tout enfant Verlaine manifestait une préférence pour la nuit et ses mystères. « La nuit, a-t-il dit, m'attirait, une curiosité m'y poussait, je cherchais je ne sais quoi, du blanc, du gris, des nuances peut-être. »

Personnellement vécus et sentis, ces paysages des *Poèmes Saturniens*, ces bois, ces étangs, ces prairies qui dorment dans le brouillard. Ce sont les « paysages tristes » de l'Artois, ces marais d'Arleux où le lycéen avait passé ses vacances. Une lettre de 1862 les décrit, et tous les traits qu'elle relève sont ceux que nous retrouvons dans les *Poèmes Saturniens :* les marais ombragés de peupliers et de saules, embroussaillés de joncs, de nénuphars blancs et jaunes, les bosquets pleins de sentiers ombreux où chante, le soir, le rossignol. Les paysages verlainiens ne sont pas des créations arbitraires de l'art.

Mais bien plus que par les aveux qu'il nous fait, un poète se confesse par l'élan vigoureux ou brisé de son chant, par sa coloration et son rythme. Il est vrai que Verlaine, ayant voulu exprimer la mélancolie moderne, a, par des procédés savants, ployé son génie en ce sens. Mais à comparer les *Poèmes Saturniens* aux recueils de ses maîtres et de ses amis, on dégage dans son œuvre un élément propre, essentiel, et qui trahit son secret. Pour ne prendre qu'un exemple, M. Martino, dans son beau livre sur Verlaine, a comparé *Après trois ans* et le poème de Baudelaire, *Je n'ai pas oublié, voisine de la ville...* L'imitation ou tout au moins la parenté est flagrante et ne cherche pas à se dissimuler, la maison modeste, le petit jardin, les chétives statues de plâtre. Mais chez Baudelaire, le tableau s'enrichit progressivement de couleurs splendides. Le soleil ruisselant et superbe répand ses beaux reflets sur l'humble scène et la transfigure. Chez Verlaine au contraire le chant ne monte pas. Il se brise, il se fait de plus en plus humble, il se termine en murmure. Un refus de la joie et de l'espoir, une méfiance de la vie, quelque chose qui serre la gorge et étrangle le chant. S'il y a une confidence dans les *Poèmes Saturniens*, elle est là.

Au surplus, ce serait peut-être une erreur d'opposer à l'idée de subjectivité la théorie de l'art impassible. Cet amour de l'art, chez Verlaine, naît précisément d'un refus de la vie et d'un effort pour la vaincre. Le poète l'avait dit dans *Vers dorés*. Ceux-là, avait-il écrit, ceux-là sont grands qui se sont « affranchis du joug des passions » et qui, après l'âpre bataille, ont su « vaincre la vie ». Cette volonté comme fanatique d'impassibilité s'inspire du mépris des hommes et d'une horreur secrète de la vie. Son « idéalité », comme dit Lepelletier, son impassibilité ne seraient pas concevables s'il n'avait, selon son biographe, ignoré « ces extases, ces désirs, ces joies et ces douleurs des premières amours », qui formaient depuis le début du siècle la matière habituelle des jeunes recueils poétiques.

C'est dire que ce volume, d'intention tout impersonnelle, est en réalité l'aveu d'une expérience originale. Une fois la part faite aux influences, à tous les éléments empruntés, reste ce qui est essentiel, le chant d'une âme triste, inquiète et blessée. Beaucoup plus tard, Verlaine a parlé de son premier volume de vers avec une justesse et une subtilité admirables. Il a insisté sur ce qu'on devait y découvrir qui annonçait déjà les œuvres suivantes. Il relève, en ce livre de début, des tendances déjà bien décidées, un fond d'idées parfois contradictoires de rêve et de précision, une pensée triste, « quelque ton savoureux d'aigreur veloutée et de calmes méchancetés ». Il avoue l'aspect de confidence que Lepelletier allait plus tard nier. « L'homme, dit-il, qui était sous le jeune homme un peu pédant que j'étais alors, jetait parfois ou plutôt soulevait le masque et s'exprimait en plusieurs petits poèmes, tendrement. » Dans cette même étude il attire l'attention sur la versification assez libre déjà, sur les enjambements et les rejets dépendant plus généralement des deux césures avoisinantes, sur les allitérations fréquentes, sur quelque chose comme de l'assonance dans le corps du vers, sur les rimes rares plutôt que riches.

Les *Poèmes Saturniens* parurent chez Lemerre un peu avant le 17 novembre 1866. Ils avaient été imprimés à compte d'auteur et tirés à 491 exemplaires. Ils ne se vendirent guère, et vingt ans plus tard le modeste tirage n'était pas encore épuisé. On a dit que la presse avait gardé un silence à peu près total. J.-H. Bornecque a portant retrouvé six articles qui mentionnent le nouveau recueil. Mais la plupart sont d'une malveillance dépourvue d'équité autant que d'esprit. Les trois lignes que Barbey d'Aurevilly écrivit dans *le Nain Jaune* ne se distinguent pas, hélas, par plus de justice. Anatole France inséra une note dans *le Chasseur bibliographe*. Elle témoigne de son amitié plutôt que de sa clairvoyance. Il louait la profession de foi de l'*Épilogue* et donnait son admiration à *César Borgia* et à *la Mort de Philippe II*. Verlaine avait envoyé des exemplaires à ses maîtres. Les réponses de Victor Hugo, de Leconte de Lisle, de Banville, de Sainte-Beuve, sont affligeantes de banalité, ou ridicules. Jules de Goncourt admira *le Nocturne parisien*. Seul, un poète alors obscur, modeste professeur à Besançon, sut trouver les mots qu'il fallait. Il s'appelait Mallarmé.

Après les Poèmes Saturniens

En 1867, après la publication du *Parnasse*, après les polémiques du *Parnassiculet contemporain* et les *Médaillonnets* de Barbey d'Aurevilly, il existe une École parnassienne, et Verlaine en fait partie. Mais ne croyons pas que l'autorité de Leconte de Lisle soit également reconnue par tous, et que le groupe constitue un bloc sans fissure. On distingue, autour du chef d'école, les disciples fervents, ceux qui avec Sully-Prudhomme admirent en Leconte de Lisle la conscience de l'expression, la fierté du vers, la noblesse de la pensée, et d'autres qui plus volontiers regardent du côté de Baudelaire, qui vont « à la recherche des profondeurs inexplorées de la corruption moderne », ou qui plus simplement demandent à la poésie de noter les frissons, les complexités, la beauté humble ou pathétique de la « modernité ». Parmi les jeunes Parnassiens on distingue aussi une tendance, bien étrangère à Leconte de Lisle et à Mendès, un effort pour recueillir, du réalisme, les éléments intéressants, pour intégrer dans la poésie les utiles recherches de Champfleury, des Goncourt, de certains romanciers moins connus.

Entre ces diverses orientations, Verlaine devra choisir.

Il lui arrivait d'aller rendre visite à Leconte de Lisle, de figurer parmi les disciples du maître dans ses réceptions du dimanche matin. Mais il ne l'aimait pas. L'ironie du chef de l'École parnassienne l'irritait et ne blessait pas moins un certain nombre de ses prétendus disciples. Ils parlaient de son « sourire affreux » : c'est Verlaine qui plus tard a rapporté ce mot. On s'explique qu'il ait fait assez triste figure dans un milieu qui lui déplaisait si fort. Chez Leconte de Lisle, nous dit un témoin, il prenait peu de part à la discussion, il restait terne. Chez Lemerre, dans la cohue parnassienne, il se montrait, dit un autre, nerveux et heurté. Il attirait si peu l'attention que Gabriel Marc, dans *l'Entresol du Parnasse*, l'oublie dans l'énumération très complète qu'il fait de la jeune équipe. La vraie société de Verlaine, c'est le groupe des poètes de l'Hôtel de Ville. Valade, Mérat, Armand Renaud se retrouvent avec lui, à la sortie du bureau, au café du Gaz, rue de Rivoli. Georges Lafenestre y vient aussi, et un joyeux avocat, Émile Blémont, dont le premier volume, en 1866, n'a rencontré auprès de Leconte de Lisle qu'un accueil dédaigneux. À ce groupe vient s'adjoindre François Coppée. L'auteur des *Intimités* habitait comme Verlaine et comme Blémont les Batignolles. Il n'en fallait pas davantage pour former « le groupe des Batignollais », sorte d'annexe des « poètes de l'Hôtel de Ville ». Voilà, bien plus réellement que l'École parnassienne, la société de Verlaine. Coppée surtout est alors son ami. C'est Coppée qui propose à Poulet-Malassis le manuscrit des *Amies*. Verlaine, dans une lettre à Victor Hugo en septembre 1867, parle de son « bon ami Coppée ». L'année suivante, c'est Verlaine qui publie dans *le Hanneton* un compte rendu très étudié et très élogieux des *Intimités*. Cette camaraderie va jusqu'à la collaboration. En 1867 les deux amis ébauchent une adaptation du *Roi Lear* qui, du reste, ne fut pas poussée très loin. *Le Hanneton* du 2 janvier 1868 contient une revue, *Qui veut des merveilles?* écrite en commun par Verlaine et Coppée. D'autre part nous observons que Verlaine fréquente beaucoup, à cette époque, près du Luxembourg, le café de Bobino, rue de Fleurus. Il s'y retrouve avec ses amis, Coppée, Mérat, Valade, auxquels se joint Glatigny quand il est de passage à Paris.

Ces « poètes de l'Hôtel de Ville » sont, à la vérité, des Parnassiens, mais des Parnassiens dissidents. Ils écrivent volontiers dans *le Hanneton* d'Eugène Vermersch. Ils sont orientés vers une poésie d'inspiration démocratique et populaire, ou tout au moins vers un réalisme que nous appellerions volontiers populiste. C'est Blémont qui, dans *le Nain jaune* du 8 août 1866, a donné *la Sous-maîtresse*, antérieure par conséquent au *Crépuscule* dans les *Poèmes modernes* de Coppée. Un soir d'été, Blémont a reçu ses amis chez lui, rue La Bruyère. Il leur a lu *Confession*, monologue dramatique, alors inédit, et dont Coppée s'inspira bientôt pour écrire *la Grève des Forgerons*. Coppée, à cette date, se tourne résolument vers une poésie qui rase la prose, qui craint plus que tout l'apparence d'artifice et d'effort, qui tourne le dos aux jeux funambulesques de la tradition fantaisiste. Lorsqu'il écrit *la Grève des Forgerons*, il a parfaitement conscience d'aller contre l'orthodoxie de l'École, il prévoit l'indignation des Parnassiens. Mais il la dédaigne. « Opinion de constipés », écrit-il. Dans les sonnets enfin que Mérat a donnés au *Parnasse* en 1866, on a très justement observé un sens de la poésie tout voisin des *Intimités* de Coppée. Elle se dégage, pour qui sait voir et sentir, de la réalité la plus familière. Elle est dans un paysage d'Ile de France, dans un coin de banlieue où le Parisien boit du vin d'Argenteuil en mangeant une friture dorée.

C'est ce qui explique la double orientation que trahissent les poésies de Verlaine alors composées : *Le Clown*, *Intérieur*, *Circonspection*, parues dans *le Hanneton* de 1867, feraient penser à des Manet : une apparition de femme dans une obsession de musc et de benjoin, deux personnages silencieux dans la paix de la nuit, des êtres nerveux et angoissés, perdus parmi la foule hostile. Certaines proses de la même époque, *le Corbillard*, *Mal'aria*, vont dans le même sens : modernité pittoresque et sensible, avec cette note de tristesse qui est la marque du jeune écrivain. On pense à l'article où Verlaine vantait les qualités poétiques du récent volume de Coppée : « des vers exquis, extrêmement raffinés, sans apparence d'effort, et même avec une délicate affectation de laisser-aller élégiaque, que raille par instants une légère note d'ironie triste... »

Mais en même temps Verlaine publiait, dans *la Revue des Lettres et des Arts*, *les Loups* et *le Soldat laboureur ;* dans *la Gazette rimée*, *les Poètes* qui s'intituleront plus tard *les Vaincus ;* dans *le Nain jaune*, *le Monstre*. Ici, plus de tableautins à la Mérat, plus de sensations exquises et tristes. Une langue au contraire brutale et fruste, le style épique d'un Victor Hugo populaire. Toute une veine réaliste qui ne va pas de sitôt s'épuiser. En 1869 Verlaine travaille à *l'Angelus du Matin*, à *la Soupe du Soir*. Il prépare avec Lepelletier un grand drame populaire, *les Forgerons*, auquel il travaille fortement en août 1869. Il se propose de faire paraître plusieurs de ces œuvres dans le second volume du *Parnasse*, et le comité de lecture les accepte.

Bien des critiques s'étonnent. Ils ne peuvent accepter l'idée que Verlaine, à l'heure même où il compose les *Fêtes Galantes*, écrive des poèmes d'un genre si différent. C'est apparemment qu'ils se forment du poète une image trop précise et incomplète. Verlaine s'intéressait très vivement aux développements du réalisme. Il ne dédaignait nullement les œuvres incorrectes et imparfaites de Champfleury : c'est Lepelletier qui nous l'apprend. Il admirait, dit le biographe, non seulement Balzac, mais des œuvres obscures comme l'*Antoine Quérard* de Ch. Bataille et Ernest Rasetti. Il suivait avec une sympathie très attentive l'effort des Goncourt et l'on peut être sûr qu'il fut l'un des plus ardents à manifester son enthousiasme, au cours de la représentation d'*Henriette Maréchal.*

Ces préoccupations, que la critique néglige, s'expliquaient. Beaucoup de bons esprits se sentaient las de la pure gratuité où l'École de l'Art s'était longtemps complue. On souhaitait un retour au sérieux, au réel et, comme on disait, à la « vie ». Il est curieux de noter que Banville lui-même en sentait le besoin. « Nous sommes tous, écrivait-il, assez blasés sur toutes les jongleries possibles pour ne pouvoir être pris que par la poésie vivante. » Les poètes rejoignaient ainsi certaines thèses de Barbey d'Aurevilly. Celui-ci avait, au nom de la « vie », dénoncé la stérilité de l'École de l'Art : « vil exercice à rimes, à coups de vers, à enjambements, ronds de jambe de danseuse ». Soyons sûrs que Verlaine suivait attentivement les polémiques d'un homme qu'il désapprouvait souvent, mais qu'il admirait.

Pour employer une expression alors inconnue, il envisageait sans répugnance une poésie « engagée ». Ses convictions révolutionnaires, son opposition à l'Empire, ses principes hébertistes lui inspiraient des vers pour flétrir la tyrannie. *Les Loups* sont une œuvre symbolique. Ils disent le triomphe insolent du parti vainqueur sur les héros malheureux de la cause populaire. Ces cœurs de fauves et de lâches, à la fois gourmands et poltrons, Verlaine les a rencontrés chez les magistrats de l'Empire et chez les publicistes vendus, qui dénoncent, condamnent et poursuivent les débris du parti républicain. De même le poème des *Vaincus*. Sous sa forme primitive, avec son titre ancien, *Les Poètes*, il exprime la colère impuissante des survivants de la révolution populaire. L'idéal, le rêve de fraternité est mort. Le réalisme politique triomphe. Ceux qui ont échappé à la répression, traqués, découragés, ont cru que tout était fini. Mais l'Empire commence à vaciller :

> Une faible lueur palpite à l'horizon.

La fin du poème, telle qu'elle se présentait en 1867, est un appel à la reprise du grand combat. On a dit que le titre, *Les Poètes*, prouvait l'absence de toute intention politique. C'est oublier que depuis Pierre Leroux, une tradition continue donnait pour fonction au poète d'éveiller les hommes à la liberté.

A ces œuvres d'inspiration ouvertement ou secrètement révolutionnaire se joignaient des pièces simplement descriptives, mais de caractère populaire. *Le Soldat laboureur* est une évocation à la fois sympathique et amusée des survivants de la Grande Armée. *La Soupe du soir* est un pathétique tableau de la misère ouvrière. Pour interpréter exactement ces pièces, il convient de les rapprocher des poèmes que François Coppée composait à la même époque et qui formeront plus tard ses *Poésies modernes : Angelus*, *Le Père*, *Saragosse* et *La Grève des forgerons*.

Verlaine avait entrepris de composer un volume de cette inspiration. Il lui avait donné pour titre collectif *Les Vaincus*. Il y travaillait en avril 1869 et s'impatientait, au mois d'août suivant, de leur retard. Ce livre allait être, dans son esprit, un pendant aux *Fêtes Galantes*, la force faisant équilibre à la grâce. Les critiques tiennent cette partie de son œuvre en grand mépris. Ils oublient qu'en 1873, à une époque où il venait d'achever le plus exquis de ses recueils, les *Romances sans paroles*, le poète revint obstinément à son projet. Ils ne voient pas que cette poésie tournée vers la vie annonce l'évolution prochaine de l'écrivain et indique dans quelle direction il s'orientera. Ce ne sera plus au service de la liberté. Mais du moins au service de l'homme, pour ce qui paraîtra au poète converti la vérité et le salut. Tourner le dos aux jeux puérils, aux acrobaties prosodiques, aux artifices gratuits, donner à la poésie une signification, faire du poète l'interprète de nos colères et de nos espérances, ce n'est pas nécessairement une erreur.

Dans une voie tout à fait différente, Verlaine composa, en 1867 au plus tard, une série de six sonnets intitulée *les Amies* et qui s'inspirait des *Femmes damnées* de Baudelaire. Son ami Coppée les fit passer en Belgique, à Poulet-Malassis qui se chargea de faire imprimer ces quelques pièces. Elles étaient attribuées au licencié Pablo-Maria de Herlagnez. A la frontière française, cette œuvre réputée scandaleuse fut interceptée. Quelques exemplaires seulement échappèrent à la saisie. Rien n'indique mieux que *les Amies* la différence de vision chez Baudelaire et chez Verlaine. Sur les poèmes saphiques du premier pèse une atmosphère alourdie de parfums capiteux, dans une pénombre où se déroulent les rites d'un culte séculaire et mystérieux. *Les Amies* disent les ardeurs de la volupté, évoquent de jeunes corps souples, des yeux bleus, des rideaux de mousseline blanche. Verlaine s'efforce en vain à imiter Baudelaire, il parle en vain du glorieux stigmate, du noble vœu de ces sublimes damnées. La tonalité, le mouvement restent profondément différents.

Les Fêtes Galantes

Parallèlement à ses *Vaincus*, Verlaine préparait un autre recueil, de poésie fantaisiste et d'art pur.

Il avait choisi pour thème les *Fêtes Galantes*. En 1867 déjà il avait donné deux pièces sur ce sujet dans *la Gazette rimée*. L'année suivante il en fit paraître six autres dans *l'Artiste*.

Au début de l'hiver 1868-1869, il fut introduit chez Nina de Callias. Elle avait vingt-cinq ans. Elle avait été mariée un moment, mais depuis 1867 elle avait repris sa liberté. Elle était excellente musicienne et avait été l'une des premières en France à comprendre Wagner. On voyait chez elle Charles Cros et Villiers de l'Isle-Adam, Anatole France, Dierx, Valade, Coppée, les meilleurs amis de Verlaine. Celui-ci fut charmé. Il tint dans le salon de Nina une place qui n'était pas méprisable; les habitués lui avaient infligé le surnom de Gwinplaine.

On affectait dans ce milieu intelligent et libre une sorte de modernisme aigu, à la Baudelaire. Nina y présidait, très brune, un bijou barbare dans les cheveux, enveloppée d'une robe japonaise. On parlait argot. On adorait Wagner, mais on raffolait d'Offenbach. Dans une pièce de vers écrite en juillet 1869, Verlaine a écrit :

> Dieux, quel hiver
> Nous passâmes! Ce fut amer
> Et doux. Un sabbat! une fête!

Ce ne sont pas les soirées chez Nina qui ont inspiré les *Fêtes Galantes* puisqu'elles étaient entreprises depuis plus d'un an. Mais on aime à rêver que la verve endiablée de certaines pièces répond à l'atmosphère fiévreuse de ces fêtes « amères et douces ».

Notre XVIIIe siècle était de nouveau à la mode. Les poètes avaient beaucoup fait pour dégager la beauté de cette époque, entre toutes élégante et raffinée. Gautier avait écrit *Rocaille*, *Pastel*, *Watteau*, et son merveilleux *Carnaval de Venise*. De Banville on avait lu *En habit zinzolin*. Hugo avait habillé à la

Watteau les personnages de *la Fête chez Thérèse.* Tout récemment, en 1865, *les Chansons des rues et des bois* contenaient une pièce, *La Lettre*, très proche des *Fêtes Galantes* verlainiennes. Grâce à ces maîtres, les jeunes Parnassiens avaient appris à goûter la poésie de la vieille société disparue. Mendès écrivait *la Traversée galante* et *Sonnet dans le goût ancien.* Dans *les Flèches d'Or*, Glatigny rappelait les « belles ombres galantes » dans les bosquets qu'elles avaient hantés jadis. Il rêvait de revoir la douce féerie, le Walpurgis français que la platitude bourgeoise avait depuis cent ans interrompu.

Un nom était devenu le symbole de ce XVIIIe siècle poétique et galant : c'était Watteau, et l'histoire ne doit pas oublier le pèlerinage que firent, en 1865, à Nogent-sur-Marne, Arsène Houssaye, Philippe Burty, Charles Coligny et les admirateurs du peintre. *L'Artiste*, une des revues les plus lues de tout le monde des lettres, en donna un compte rendu et reproduisit le discours d'Arsène Houssaye.

Watteau était pourtant, à cette date, difficile à bien connaître. Le Louvre ne possédait que *l'Embarquement pour Cythère.* Les autres tableaux appartenaient à des collections privées et demeuraient inaccessibles. Mais les belles recherches de Jacques-Henry Bornecque ont attiré récemment l'attention sur quelques volumes où l'amateur d'art pouvait étudier l'œuvre de Watteau. C'était le livre de Charles Blanc, *Les Peintres des Fêtes Galantes* (1854). C'était surtout un recueil de quarante-trois planches publié sous le titre suivant, *Pièces choisies composées par A. Watteau et gravées par W. Marks. Tirées de la collection de M. A. Dinaux*, 1850.

Les Goncourt n'avaient donc pas été les seuls ni même les premiers à faire comprendre et aimer Watteau. Du moins leur étude, publiée en 1860 a-t-elle été une des sources les plus certaines du volume de Verlaine. L'un des meilleurs écrivains qui aient parlé des *Fêtes Galantes*, Ernest Dupuy, a opposé le charme vif et précis du XVIIIe siècle aux personnages nonchalants et un peu fous de Verlaine. Il a rappelé les féeries de Shakespeare. Mais cette opposition, les Goncourt ne la voyaient pas. « Dans un lieu au hasard et sans place sur la carte de la terre, il est, disaient-ils, une éternelle paresse sous les arbres... Un Léthé roule le silence dans ce pays d'oubli, peuplé de figures qui n'ont que des yeux et des bouches : une flamme et un sourire ». D'eux-mêmes ils évoquaient Shakespeare et ses comédies d'amour. L'interprétation de Watteau, dans les *Fêtes Galantes* de Verlaine, c'est celle d'abord des Goncourt. Comme ces maîtres, le jeune poète a entendu, derrière les paroles rieuses, le murmure d'une lente et vague harmonie, il a deviné la tristesse musicale et doucement contagieuse qu'elles dissimulent. On ne saurait dire que cette interprétation soit fausse. Tout au plus pourrait-on dire qu'elle met l'accent sur le côté mélancolique et lunaire de l'œuvre admirable, et laisse moins discerner sa joie, sa clarté, son élan vers le bonheur.

Comme Ernest Dupuy, mais pour des raisons plus nombreuses et plus précises, J.-H. Bornecque insiste sur l'inexactitude des *Fêtes Galantes*, sur la déformation romantique qu'elles apportent à l'œuvre de Watteau. Il fait observer que sur cent toiles vues, une seule comporte un jet d'eau. Pour lui, le Watteau lunaire vient de Glatigny et de Banville; le cadre enchanté du premier sonnet, ces cascades, ces jets d'eau dans les arbres, viennent d'une page de Charles Blanc. Toutes ces remarques sont précieuses. Mais pourquoi Verlaine aurait-il ignoré Hubert Robert, ses marches de marbre, ses rampes, ses jets d'eau? Et pourquoi surtout voudrions-nous ramener les *Fêtes Galantes* de Verlaine à une simple interprétation de Watteau?

Elles ressuscitent d'abord les féeries de la Comédie italienne. Le sujet était à la mode. Maurice Sand avait publié en 1859 un gros livre, *Masques et Bouffons. La Revue des Deux Mondes* avait consacré plusieurs articles à la *Commedia dell'arte.* Celui de Lataye, par exemple, avait en décembre 1859 insisté sur l'appel au rêve, sur la poésie chimérique de cette forme d'art. Autour d'elle, disait-il, se groupent les esprits inquiets, les âmes mécontentes de la réalité, les poètes, les musiciens, les peintres qui ne peuvent saisir leur idéal que dans le rêve et l'hallucination.

Si le livre de Maurice Sand avait ramené l'attention sur ce sujet, Verlaine pouvait trouver ailleurs des suggestions plus anciennes. Dans *le Carnaval de Venise*, Gautier avait évoqué le Docteur Bolonais, Scaramouche, Polichinelle, et Banville, dans les *Odes funambulesques*, avait repris le même thème pour écrire *Folies nouvelles.* L'influence de ces auteurs est sensible dans les *Fêtes Galantes* et permet d'en éclairer le détail. Le pierrot de *Pantomime* est nettement celui de Banville dans *les Folies nouvelles.* Paresseux et gourmand, il ne doit guère à Watteau.

Plus qu'au peintre de *l'Embarquement pour Cythère*, certaines des *Fêtes Galantes* font penser à Voiture et à Benserade. Ces deux hommes, poètes par excellence de la galanterie précieuse, sortaient alors d'un long et injuste oubli. Catulle Mendès nommait Benserade, et Glatigny le citait dans *Nocturne.* Toute une partie des *Fêtes Galantes* s'inspire de cette préciosité retrouvée : *A la promenade*, *Dans la Grotte*, *Mandoline*, *Lettre.* Ces pièces, qui n'ont plus rien qui les rattache à Watteau, offrent ce trait commun de refuser les tendresses et les langueurs, de voir en l'amour un jeu de l'esprit, vif, ironique, un peu libertin. Les hommes sont trompeurs et charmants, les femmes sont coquettes et si elles se fâchent des audaces excessives, c'est avec un sourire. Ces Clymènes jouent avec leurs

Tircis et leurs Clitandres les subtiles comédies de l'amour. Elles feignent la cruauté. Ils miment le désespoir avec la même emphase plaisante que dans Banville les amants moqueurs d'Ismène et d'Amarante, ils cultivent la métaphore précieuse que Glatigny venait de spirituellement parodier.

Plus on avance dans l'étude des *Fêtes Galantes*, plus on comprend qu'il est impossible de les ramener à une interprétation de Watteau. C'est plutôt à Fragonard que nous penserions souvent, au XVIIIe siècle des abbés libertins et de la Camargo. En vain dira-t-on que *Sur l'herbe* s'inspire de l'*Assemblée dans un parc*, des *Divertissements champêtres*. Il vient du Musset endiablé des *Marrons du feu*, et l'abbé qui divague pourrait bien être notre ami Annibal Desiderio. De même *En bateau*, où se retrouve une veine qui avait naguère inspiré à Banville *l'Arbre de Judée* et certains vers d'*En habit zinzolin*.

Parfois, c'est à un autre peintre encore qu'il nous faudrait songer. *Les Ingénus* semblent le commentaire de quelques lignes des Goncourt sur les femmes de Greuze. Ils avaient parlé de leur innocence « facile et tout près de sa chute », de leur *ingénuité*, celle de Cécile de Volanges, « l'ingénuité sans force et sans remords, cédant à la surprise, aux sens, aux plaisirs ». Après Mendès, Verlaine a discerné ce trait et s'en est inspiré.

Depuis 1866, il était séduit par la poésie des Fêtes Galantes. Dans les *Poèmes Saturniens*, la *Nuit du Walpurgis classique*, inspirée de Glatigny, annonce déjà le futur recueil. Dans *la Gazette rimée* du 20 février 1867 paraissent les stances qui allaient lui servir de portique et une pièce, intitulée *Trumeau*, qui deviendra *Mandoline*. Dans le milieu de la même année, il donna, au *Hanneton*, un *Paysage historique*. Ces derniers vers, il ne les a pas recueillis dans son volume. Ils n'y seraient pourtant pas trop déplacés. Ils sont

Le ciel est, par dessus le toit,
Si bleu, si calme!
Un arbre, par dessus le toit
Berce sa palme.

La cloche dans le ciel qu'on voit
Doucement tinte.
Un oiseau sur l'arbre qu'on voit
Chante sa plainte.

Mon Dieu, mon Dieu, la vie est là
Simple et tranquille.
Cette paisible rumeur là
Vient de la ville.

Qu'as tu fait, ô toi que voilà
Pleurant sans cesse,
Dis, qu'as-tu fait, toi que voilà
De ta jeunesse?

Sa poésie s'oriente alors vers l'expression de son drame intérieur, de ses accablements, de son effort vers une vie purifiée et heureuse... (p. 127)

une brève méditation sur une vieille tapisserie. Ils s'attendrissent sur le sujet naïf et fade, banal et factice. Il y a de cette naïveté et de cette fadeur volontaires dans certaines des *Fêtes Galantes*.

Ce petit livre était une merveilleuse réussite. On n'y sentait pas, comme dans les *Poèmes Saturniens*, la disparate des éléments accueillis. De toutes les suggestions des Goncourt, de Gautier et de Banville, de Glatigny et de Mendès, le poète avait tiré une œuvre admirable d'unité. Sous un ciel pâle où traîne une lune rose et grise, les personnages des Fêtes Galantes et de la Comédie italienne vont par groupes. Des arbres grêles jettent sur eux de molles ombres bleues. Un paysage se dresse, pure création du poète, plastique expression de son rêve. Parmi ces bosquets, ces bassins de marbre, ces jets d'eau, des êtres chantent et rient. Ils feignent d'être gais, un peu fous, tout donnés au plaisir. Mais qui les regarde de près devine en eux une inquiétude. Ils redoutent la passion et leur faiblesse. Ils savent que les jeux galants finissent mal et que l'amour est illusion, que sur la vie des hommes plane un Destin ironique et méchant. Le Faune de terre cuite est le symbole de cette fatalité, et les pèlerins de la vie n'espèrent pas y échapper.

Cette poésie aux vastes prolongements mélancoliques veut être pourtant un jeu. Parce que l'illusion est reine du monde, il appartient aux meilleurs de n'être pas dupes. Le poète s'amuse. Il s'amuse aux correspondances dans *A Clymène*, et la grave doctrine de Baudelaire devient ici prétexte à subtiles combinaisons de tons et de parfums. Jeux encore les rejets qui font éclater l'ironie d'une phrase. Jeux, ces rimes très riches, rares, disposées de cent façons nouvelles.

Déjà s'annonce dans les *Fêtes Galantes* l'idée que la poésie est, avant toutes choses, une musique. Verlaine multiplie les assonances à l'intérieur du vers, les allitérations. Il les choisit de préférence sourdes, glissantes, prolongées. Il les place, en apparence, au hasard; avec, en réalité, le souci d'éviter les retours symétriques. Les *Fêtes Galantes* sont un chant, le chant que Verlaine entendait en lui dans les meilleures de ses heures.

Ces recherches de sonorités et de rythmes orientaient Verlaine dans une direction où plus tard il allait franchement s'engager. Qu'on lise *l'Allée*, et l'on observera comme la phrase s'allonge, riche et souple, rebondit, se refuse aux structures nettes et aux symétries. Quelques pièces révèlent déjà le goût des rythmes impairs. *En Patinant* contient un vers,

Mais que d'une façon moins noire!

qui annonce les futures libertés de la langue verlainienne.

Notre époque à la fois barbare et pédante, où triomphent l'emphase et les paroxysmes, est mal préparée à goûter les exquises beautés de cette musique et de cette poésie. Qui veut en sentir les perfections, qu'il observe l'interprétation que Claude Debussy a donnée des *Ingénus*. L'adorable mélodie que le poème lui a inspirée se moule étroitement sur les rythmes de Verlaine, sur la valeur de chacune des syllabes. C'est d'abord le mouvement vif d'une promenade, la marche à peine ralentie par les talons trop hauts, par les amples et longues jupes. Ce sont des jeux, des rires, tout un *tempo* heurté et rapide. Et puis le rythme change. De ces syllabes longues et sourdes se dégage une impression de langueur, d'émotion silencieuse, de tendre abandon. Sur les couples joyeux et bruyants naguère descend maintenant l'ombre de l'éternelle Illusion.

Les *Fêtes Galantes* furent tirées à 350 exemplaires. L'achevé d'imprimer est du 20 février 1869, et le service de presse fut fait dans les semaines qui suivirent. Banville fit un compte rendu dans *le National* du 19 avril. Victor Hugo envoya de Guernesey, le 16 avril, un billet élogieux. Lepelletier promit un article et ne l'écrivit pas. Sur l'œuvre modeste et hardie, sur la révélation qu'elle apportait, le silence tomba.

La Bonne Chanson

Les *Fêtes Galantes* venaient à peine de paraître lorsque Verlaine fit la rencontre de Mathilde. Les fiançailles lui inspirèrent quelques pièces qu'il a réunies en volume et qui forment *la Bonne Chanson.*

Sur la valeur de ce recueil, sur la place qu'il occupe dans l'histoire de l'œuvre verlainienne, les critiques trahissent par leur désaccord la difficulté de voir clair. Les uns ne cachent pas qu'ils font peu de cas de cette poésie trop sage, un peu fade et mièvre, œuvre d'un jeune bourgeois qui se range. Comme dit spirituellement M. Martino, ce bon jeune homme lettré ferait fort bien figure dans un roman de Theuriet, au bras d'une jeune fille très Second Empire. Mais d'autres admirent en ce recueil un progrès décisif, la rupture avec le Parnasse, l'accès de Verlaine à la poésie pour laquelle il était né, la sincérité ingénue, la spontanéité totale. Edmond Lepelletier n'est pas, à beaucoup près, aussi chaud dans l'éloge. Mais il est d'accord pour voir dans *la Bonne Chanson* l'apparition d'une « nouvelle poétique ». Verlaine, à l'en croire, passe de la poésie objective, descriptive, plastique, à la confession d'âme, à la notation des battements du cœur. Et, lui aussi, il juge cette étape décisive.

Encore que les preuves positives fassent défaut, on veut bien admettre que Verlaine ait voulu rompre avec l'*artisterie*, comme il dira dans quelques années. Parce qu'il a résolu de devenir honnête bourgeois, parce qu'il se range, il change ses visées, il décide qu'il évitera les artifices trop apparents où certains Parnassiens voient l'essentiel de la poésie. Il ira tout droit aux sources pures de l'inspiration, aux sentiments très simples, très humains, qui font actuellement son bonheur.

Mais ce rêve de poésie spontanée est pure illusion. Nulle poésie n'est spontanée. N'imaginons pas qu'au-dessous de la veine des *Fêtes Galantes*, toute dominée par des préoccupations d'art, il en coure une autre, plus profonde et plus pure. Disons plutôt que dès lors apparaissent chez Verlaine, liés à ses efforts vers une vie morale plus sévère, certaines formes spéciales de penser et de sentir, certains moyens particuliers d'expression. Nous les observons aujourd'hui dans *la Bonne Chanson*. Nous les retrouverons plus tard, dans les moins bons poèmes de *Sagesse*.

Bien loin de marquer un retour aux sources, ces œuvres en apparence spontanées traduisent un effort des parts les moins poétiques de l'homme, l'intelligence qui construit les concepts, la volonté qui se guinde en attitudes. Les mots abstraits se multiplient, souvent mis en relief par une majuscule. Mathilde est la Compagne, elle est l'Espoir. Le Doute impur s'enfuit, et le Monde est vaincu. Le poète s'effraie devant méfiance, doute et crainte, ces ténèbres de l'amour. Les adjectifs s'appliquent, non plus à noter de fines nuances, mais à cerner l'idée, à marquer ses contours, à la faire saillir en sa pureté essentielle et glacée. L'âme est noble, le cœur est bon. Verlaine s'avance droit et calme sur les chemins perfides, il affronte les gais combats, il aspire à l'extase austère du juste. Le moins qu'on puisse dire, c'est que ces épithètes n'offrent rien qui soit inattendu ou subtil. Parce qu'il s'est établi sur le plan de l'intelligence claire, Verlaine se plaît aux maximes générales. D'où cet emploi si curieux du pronom *on*, que l'on observe dans la chanson X, et que l'on retrouvera dans *Sagesse*.

Ses fautes, ses bonnes résolutions, ce sont les fautes et les résolutions de tous. Cette poésie prétendue personnelle tend à une volontaire banalité.

Mais l'insuffisance la plus certaine de *la Bonne Chanson* dans plusieurs de ses pièces, celle qui interdit absolument d'y voir un progrès sur les *Fêtes Galantes* et qui oblige même à dire que Verlaine s'égare, c'est que le nouveau recueil met trop souvent la poésie, non point dans cette transposition, dans cette *métaphore* continue qui est l'essence de l'art, mais dans l'expression directe et comme matérielle des sentiments éprouvés. Ce n'est pas par des images, ce n'est pas par la musique des mots, ce n'est pas par le rythme de sa phrase que Verlaine nous suggère alors la joie qui l'emplit. Il la *dit*, comme la disent ceux qui ne sont pas poètes. Il explique, il énumère ses raisons de craindre et d'espérer. Il s'adresse à notre intelligence. Il ne nous laisse rien à rêver.

D'autres pièces pourtant donnent une note de poésie authentique. Certaines sont des « intimités », avec des notations fines et vraies : un portrait de Mathilde assise aux côtés de sa sœur, un appartement douillet à l'heure du thé, une rue de faubourg, des platanes qui s'effeuillent, un omnibus dans un bruit de ferraille grinçante. Deux pièces enfin, la Ve et la VIe, sont de vraies chansons. Le poète, ici, ne se guinde plus à penser. Il ne dit pas qu'il est joyeux. Mais les cailles dans le thym, les alouettes dans le ciel, la rosée qui brille gaîment sur le foin, suggèrent sa joie.

Au printemps de 1870, il réunit ces pièces en volume, se bornant à en écarter trois qui étaient un peu vives. L'achevé d'imprimer est du 12 juin. Le tirage était de 590 exemplaires. Certains furent envoyés aux maîtres et aux amis. Hugo remercia. Banville fit l'article que Verlaine espérait. Mais la guerre venait d'éclater. La vente fut retardée. *La Bibliographie de la France* n'annonça le volume que le 3 décembre, et c'est en 1872 seulement qu'il parut à la devanture des libraires. Le débit fut à peu près nul.

Les Romances sans paroles

La guerre et, plus encore, la Commune avaient dispersé le groupe parnassien. Leconte de Lisle et ses fidèles se déchaînaient contre le parti vaincu. Mérat, Lepelletier, Blémont, Valade s'indignaient de l'abominable répression. Le schisme était définitif et quelques gestes pacifiques ne doivent pas faire illusion. L'École parnassienne, tronquée, privée de ses meilleurs éléments, ne fait plus que se survivre. Pour ceux qui avaient partagé les espérances de la révolution parisienne, ou qui du moins réprouvaient les excès de la réaction, il s'agissait de se regrouper. Dès la première moitié d'août 1871, ils reprirent les dîners des Vilains Bonshommes. Verlaine en fut, naturellement. Il y retrouva ses amis d'avant-guerre et quelques nouveaux venus, Jean Aicard, Ernest d'Hervilly, Pierre Elzéar. Au mois d'avril 1872, Émile Blémont fonda une revue, *la Renaissance littéraire et artistique*, avec Jean Aicard, Elzéar et Valade. Verlaine fut également parmi les collaborateurs.

Voilà le groupe où il a ses amitiés, ses sympathies, ses attaches. Coppée et France ont rompu avec lui. Leconte de Lisle ne parle de lui que pour s'étonner qu'il ne soit pas encore fusillé. La rupture avec le Parnasse est donc totale et se manifeste sur le plan des relations personnelles avant même de se réaliser dans les conceptions poétiques.

Dans le groupe de Blémont, un mot inspire ces poètes : la vie. Ils sentent vivement ce qu'il y a d'artificiel, de glacé, d'inhumain dans l'orthodoxie parnassienne. Bientôt se formera le « groupe des Vivants ». Le nom conviendrait déjà aux collaborateurs de *la Renaissance*. La poésie, à leurs yeux, doit exprimer la vie moderne, saisie dans ses aspects pittoresques ou captée à sa source, dans l'âme contemporaine, inquiète, nerveuse, déchirée entre les aspirations vers l'idéal et les attirances de la chair. Les *Romances sans paroles* s'éclairent dès qu'on les replace dans l'activité de ce groupe amical.

Elles n'ont paru qu'au mois de mars 1874, mais cette date ne doit pas nous tromper. Les pièces qui forment le recueil ont été écrites du début de 1872 aux premiers mois de 1873. Elles ne s'expliquent bien que par les circonstances où elles furent composées.

Les *Ariettes oubliées* en forment la partie la plus ancienne. La première a paru dans *la Renaissance* du 18 mai 1872, la seconde a été envoyée à Blémont dans une lettre de septembre, la cinquième figure dans *la Renaissance* du 29 juin, la neuvième et dernière porte la date de mai-juin 1872. Ces précisions n'ont pas seulement un intérêt de chronologie. Elles permettent de comprendre l'intention cachée de ces poèmes.

Les premiers mois de 1872 ont été marqués par un effort de Verlaine pour reconquérir le cœur de Mathilde, pour effacer l'effroyable souvenir des derniers mois. Depuis la deuxième moitié de janvier jusqu'au milieu de mars, il est seul à Paris. Il écrit à Mathilde des lettres que nous n'avons plus, mais qui, nous le savons, la suppliaient de revenir. La plupart des *Ariettes* ont été écrites à ce moment et dans les semaines qui suivirent le retour

On s'explique dès lors les vers de la première *Ariette* :

> Cette âme qui se lamente
> En cette plainte dormante,
> C'est la nôtre, n'est-ce pas?
> La mienne, dis, et la tienne...

La seconde, qui s'intitulait *Escarpolette*, c'est le

balancement de Verlaine entre l'amour légitime et l'amour maudit, c'est l'affolement de ce cœur en délire, et le *cher amour qui s'épeure*, c'est Mathilde, qui s'est enfuie, épouvantée, jusqu'à Périgueux.

On a imaginé que la quatrième des *Ariettes* s'adressait à Rimbaud. On a cru que Verlaine pensait à Rimbaud lorsqu'il écrivait :

> Soyons deux enfants, soyons deux jeunes filles.

Mais dans le dernier vers, l'allusion n'est-elle pas évidente à la réconciliation attendue, puisque ces deux enfants vont à nouveau se promener sous les chastes charmilles

> Sans même savoir qu'elles sont pardonnées.

La cinquième *Ariette* est, si possible, plus nette encore. Mathilde est partie. Verlaine rêve au petit boudoir de la rue Nicolet où flotte encore son parfum, au petit jardin qui sépare la maison de la chaussée.

La huitième *Ariette* est peut-être la plus ancienne et s'explique par le voyage que Verlaine fit à Paliseul à la fin de décembre 1871. Il neigeait, et le poète, au témoignage de Delahaye, s'est rappelé sa longue marche dans le paysage glacé lorsqu'il écrit dans *Sagesse :*

> Un rêve de froid : que c'est beau, la neige !

La même circonstance rend bien compte aussi de cette *Ariette.*

La septième est postérieure à la fugue de juillet. Elle dit l'étonnement inconsolable, le refus de croire à une rupture définitive. On peut se demander si la troisième n'a pas été écrite à Londres, au cours du mois d'octobre.

Ce cycle des *Ariettes oubliées*, si nettement délimité dans le temps et par les intentions du poète, révèle en lui la volonté de faire de la poésie une pure musique. Le titre même est riche de sens. On a dit que Rimbaud avait écrit une *Ariette oubliée :* c'est une erreur. La vérité, c'est que Rimbaud goûtait fort les *libretti* et la musique de Favart. Il en avait, de Charleville, envoyé un volume à Verlaine, et les Mauté relevèrent, parmi les objets abandonnés par leur gendre, « un recueil de pièces (XVIIIe siècle), entre autres *Ninette à la Cour*, par Favart ». Verlaine, qui aimait les vieilles tapisseries, la peinture du XVIIIe siècle, même dans ses grâces un peu fades et surannées, Verlaine devait goûter la musique de Favart. Il se la fit déchiffrer. Deux vers, dans une ariette de la comédie, deux vers sans beauté propre, mais qui l'émurent, lui ont inspiré la première au moins de ses *Ariettes*.

Aucun recueil peut-être de Verlaine ne satisfait aussi pleinement à l'exigence qu'énoncera un jour Mallarmé, que le devoir du poète est de suggérer. A la différence de *la Bonne Chanson*, les *Ariettes* ne *disent* jamais, mais par des images, des sonorités et des rythmes elles nous font vivre la grande peine du poète abandonné. Prenons le seul exemple de la première. L'état d'âme que Verlaine veut suggérer, c'est une tristesse à peu près silencieuse et qui ne gémit que tout bas. Une tristesse qui serait presque douce, tant il s'y mêle d'images tendres. Quelque chose de poignant pourtant, car l'homme trahi se sent très seul et très faible. Et voilà que des images jaillissent : une plaine ensommeillée, des arbres grêles qui frissonnent sous le vent aigre, le cri doux de l'herbe agitée. Un paysage grelottant et qui étreint le cœur. Une fatigue, une langueur pleines d'amour. Ces images, Verlaine ne les construit pas, et parce qu'il n'ose pas encore supprimer le verbe dans ses phrases, il emploie avec insistance le plus insignifiant, le plus incolore, le plus inactif de tous les verbes, le verbe *être*. La langue s'allège et se dépouille. Elle fait fi des exigences de la grammaire pour aboutir à l'extrême humilité, à la pauvreté la plus proche du silence. « *C'est* tous les frissons des bois... », écrit Verlaine, et l'herbe agitée *expire* son cri doux.

Les sonorités sont choisies pour donner l'impression d'une langueur crispée. A la rime surtout : dans chaque strophe quatre vers à rimes féminines, et deux seulement à rimes masculines. A l'intérieur du vers, des insistances, les *i* frissonnants de la première strophe, l'*u* prolongé de *ramures* annonçant les rimes de la strophe suivante. Des allitérations qui relèvent d'une note plus gaie le paysage triste.

O le *fr*êle et *fr*ais murmure...,

ou au contraire des répétitions accablées :

Les *rou*lis *sour*ds des caill*oux*.

Enfin le vers est de sept syllabes. Verlaine en 1872 a pleinement conscience de la valeur musicale et suggestive des mètres impairs. Il sait que pour exprimer les humbles, les pauvres misères de sa vie, ils ont un tout autre pouvoir que les octosyllabes et les alexandrins qui dominent dans la poésie contemporaine.

L'Escarpolette pousse à l'extrême la même conception de l'œuvre poétique. Elle est pour Verlaine le symbole de sa vie, ballotée entre Mathilde et Rimbaud, entre la pureté calme et l'aventure. Ce mouvement lui donne écœurement et vertige. Il voit trouble. Dans son âme en délire il entend non plus une voix nette et pure, mais l'ariette de toutes les lyres, la bonne et la mauvaise chanson. Il voudrait choisir, se fixer. Il ne le peut pas et se sent si las qu'il voudrait mourir. Mourir loin de Mathilde et de Rimbaud. Mourir seul.

Plus que dans la première des *Ariettes*, Verlaine s'attache ici à des « correspondances » qui mêlent et confondent les impressions. Les *voix* anciennes ont un *contour*, et les *lueurs* qui annoncent l'avenir sont *musiciennes*. Cet art savant n'est plus ici jeu gratuit, comme dans les *Fêtes Galantes*. Il traduit la confusion où Verlaine alors s'enfonce. Toutes les rimes sont féminines, et la musique des mots est plus insistante, trahit plus de subtiles intentions que jamais.

Rimes féminines et mètres impairs sont les deux nettes caractéristiques des *Ariettes oubliées*. Dans cet ensemble de neuf pièces, on trouve des vers de cinq, de sept, de neuf et de onze syllabes. Quatre d'entre elles, presque la moitié, ont des rimes uniquement féminines. Il en est une autre qui présente une particularité curieuse. Verlaine s'amuse à faire rimer une syllabe masculine avec une syllabe féminine, *Jean de Nivelle* avec *Michel*, *robe bleue* et *palsembleu*. Il le fait avec une intention qui se discerne vite. Cette pièce, différente des autres par le sujet, évoque les personnages des légendes et des chansons populaires, la mère Michel et Lustucru, Jean de Nivelle et Jean des Bas-Bleus. Elle est la seule qui subsiste d'une série qui devait, dans les projets du poète en novembre 1872, former l'une des quatre parties du recueil et qui devait s'intituler *Nuit falote*. A noter que Verlaine avait pu lire dans *les Stalactites* de Banville une *Élégie* où *confus* rimait avec *touffues* et *rochers* avec *cachées*.

Le 7 juillet 1872, Verlaine a quitté Mathilde. Il a franchi la frontière belge près de Bouillon. Il se dirige vers Bruxelles. Il ne quittera la Belgique que le 7 septembre. Ces deux mois lui ont inspiré la série des *Paysages belges*. Ils rappellent les étapes de sa randonnée, Walcourt, Charleroi, Bruxelles, sans oublier une excursion à Malines.

N'attendons pas de ces poèmes une confidence sur son état d'esprit. Il s'occupe uniquement à des notations pittoresques sur la capitale belge et sur les campagnes qu'il traverse. Nul ne soupçonnerait à le lire qu'il est en train de vivre une tragique aventure où se jouent son amour, son bonheur. Ces courtes pièces, simplement pittoresques, méritent une extrême attention. Verlaine y essaie une forme d'art très neuve, un style de la description alors inconnu.

On a dit que certaines de ces pièces constituaient « une poésie très impressionniste au sens que ce mot allait avoir quinze ans après en peinture ». Le rapport est sans aucun doute beaucoup plus étroit et précis. C'est entre 1870 et 1874 que la révolution impressionniste s'est faite. C'est en 1869-1870 que Manet change sa manière. En 1870 Monet et Pissarro font le voyage de Londres. En 1871 Cézanne travaille à l'Estaque. Successivement Degas, Renoir, Fantin-Latour entrent en scène. En 1874 aura lieu la première exposition du groupe : une toile de Monet, *Impression*, fait donner à la nouvelle École le nom, qui veut être ironique, d'impressionniste. Verlaine avait connu Manet chez Nina de Callias. Il voyait chaque jour Fantin-Latour pour le portait que le peintre était en train de faire des rédacteurs de *la Renaissance*. Par eux, par Forain qui est alors son ami de chaque jour, par André Gill, il sait quelles idées s'agitent dans la jeune peinture. Il est séduit.

Car il s'agit bien, dans l'histoire de son œuvre, d'une acquisition nouvelle et importante. Qu'on lise par exemple *Walcourt*. Pas un verbe, pas une proposition régulièrement construite. Pas une transition. Une succession de notes brèves, dans une tonalité lumineuse et gaie. Comme les impressionnistes, Verlaine peint très clair, tout préoccupé maintenant de rendre les vibrations de la lumière et ses jeux merveilleux. Comme eux encore, il néglige le modelé, il juxtapose hardiment les tons. Les deux techniques se répondent.

Esthétique de l'éphémère, a dit Jules Laforgue de l'impressionnisme. La poésie de Verlaine s'attache à noter les aspects fugitifs d'un paysage dans un moment de la lumière. Bruxelles est vu un soir d'été, à l'heure où le soleil atteint le haut des arbres d'un rayon horizontal, où sur les collines les maisons et les jardins s'estompent dans une lumière rose et vert pâle, comme celle d'un abat-jour. L'essentiel, pour le peintre poète, c'est de ne pas construire, c'est de refuser cette intervention de l'intelligence qui ordonne, et qui par conséquent fausse et mutile, c'est d'accueillir naïvement les impressions, d'en saisir la fraîcheur spontanée. *Malines*, promenade en wagon, est de ce point de vue, à l'exception du trait final, une merveilleuse leçon.

Si l'on hésitait à admettre que Verlaine est, à l'époque des *Paysages belges*, tout préoccupé des problèmes de l'impressionnisme, il faudrait lire les notes qu'il a prises quelques semaines plus tard, à son arrivée dans la capitale anglaise et qu'il a envoyées à Blémont et à Lepelletier : éléments de *Croquis londoniens* qu'il rêvait de publier un jour. On y observe un effort très sérieux pour découvrir, sous des apparences souvent grossières, la poésie cachée d'une grande cité moderne. Effort lent, marqué de révélations partielles et d'ignorances avouées. « Il est probable, écrit-il, que la vie anglaise a des poésies à moi non encore perceptibles. » Ou ceci encore, en octobre : « Jusqu'à présent, quoiqu'ayant beaucoup vu ici et aux environs, je ne perçois nullement la poésie de ce pays-ci, qui, j'en suis sûr, n'en manque pas. » Comme les Impressionnistes, c'est de la vie moderne, de la poésie des docks, des ponts babyloniens sur la Tamise, des gares, qu'il est soucieux. Il réagit contre l'académisme et les beautés usées « des Italies, Espagnes et autres bords du Rhin ». Après avoir décrit les « interminables docks », il ajoute cette remarque : « (Ils) suffisent d'ailleurs à ma poétique de plus en plus moderniste. » A la suite d'une visite aux musées, il note, déçu : « Nulle modernité. » Ces préoccupations, cette volonté de « recueillir des impressions », cet effort pour découvrir la poésie cachée au cœur des choses, voilà ce qui éclaire les *Paysages belges* et qui fait de Verlaine, à cette date, le poète de l'Impressionnisme.

Birds in the Night forme, à lui seul, une série à part. Il est probable que Verlaine a pris ce titre à une berceuse que Sir Arthur Sullivan venait de faire paraître : c'était le plus célèbre compositeur du temps, et il est au plus haut point vraisemblable que Verlaine avait connu son nom et ce titre. Les trois premières parties du poème furent envoyées à Blémont le 5 octobre 1872. A ne prendre que les images, les mots, le ton, les *Birds in the Night* se rattachent directement à *la Bonne Chanson* dont elles sont comme le pitoyable épilogue ou, si l'on veut, le revers, *la Mauvaise Chanson,* comme disait Verlaine. Même caractère des métaphores : le bon combat à livrer, le soldat vaincu et blessé. Mêmes majuscules : ma Belle, ma Chérie. Mêmes adjectifs : pardons chastes, pièges exquis. Tout un monde irréel et enfantin. Et comme dans *la Bonne Chanson*, une volonté de frôler la prose, de parler tout bas, sur le ton le plus uni et le plus simple.

On pourrait goûter mal ces qualités. On pourrait aussi éprouver quelque gêne devant cette illusoire pureté qui répond si peu à tout ce que nous savons aujourd'hui sur les folies de Verlaine. Mais l'intérêt, la très grande beauté des *Birds in the Night* sont dans la musique de ces vers. Verlaine a écrit ce poème en décasyllabes, mais plutôt que les césures 4-6 et 6-4, il a le plus souvent employé la césure 5-5, tout à fait inhabituelle, et qui fait de chacun de ces décasyllabes un couple de vers de cinq syllabes. Rythme impair donc, et comme brisé, comme lassé. Reproches sans éclat, chagrin sans espoir. Poésie dégagée de toute rhétorique, toute diaphane, pure spiritualité. Pleine de périls à coup sûr, qu'il n'est pas impossible de discerner déjà. Mais pour le moment la réussite est miraculeuse.

Le 5 octobre 1872, Verlaine annonçait à Blémont que son prochain recueil ne contiendrait rien de ses impressions d'Angleterre. Plus tard il modifia ses projets. La quatrième partie des *Romances sans paroles*, *Aquarelles*, annoncée le 22 avril 1873, est faite, dans son ensemble, d'impressions anglaises. Des exégètes se sont livrés à d'étranges divagations sur les arrière-plans de ces quelques pièces. Certains ont voulu les expliquer par des aventures de Verlaine avec de jeunes Anglaises. D'autres ont imaginé au contraire que derrière ces figures de femmes ou de filles il fallait deviner d'autres amours : supposition gratuite qui rend moins aisée une juste interprétation de ces beaux poèmes. C'est, du moins semble-t-il, encore et toujours à Mathilde qu'ils sont adressés. *Green* c'est le retour au foyer, la réconciliation, c'est la bonne tempête et la paix revenue. *Spleen*, c'est la nostalgie du paradis perdu en un cœur las de toutes choses, mais non pas, hélas, de Mathilde. Et qui serait cette femme qui désolait son pauvre amant, sinon cette Mathilde qui, depuis, « est morte à (s)on cœur »?

Si jaillissante que soit cette poésie, de bons chercheurs se sont efforcés de retrouver les textes littéraires qui ont pu fournir à Verlaine un point de départ, une suggestion. *Green*, a-t-on dit, semble une sorte de paraphrase de la chanson d'Ophélie : « Voilà du romarin..., et voici des pensées..., voilà pour vous du fenouil, des ancolies, voilà de la rue pour vous », mais, avec plus de vraisemblance peut-être, on a pensé aux *Roses de Saadi* de Marceline Desbordes-Valmore. D'autre part *A poor young Shepherd* fut probablement suggéré à Verlaine par une lecture anglaise. Le numéro de février du *Gentleman's Magazine*, une revue où collaborait son ami Barrère, contenait sur la fête de Saint-Valentin, le 14 février, un poème *A Valentine*, qui commençait par ces mots : « Que dois-je envoyer à ma bien-aimée? Je vais lui envoyer un baiser. » Ce qu'il semble reprendre et retourner dans son premier vers :

J'ai peur d'un baiser.

Point de départ littéraire également pour *Child Wife*. Ce poème a été écrit le 3 avril 1873, au moment où Verlaine allait quitter l'Angleterre pour entreprendre en Belgique des démarches en vue d'une réconciliation avec Mathilde. L'exemplaire de l'édition originale au *British Museum* porte, de la main de Verlaine, en surcharge : *The pretty one.* Indication précieuse, car ces mots s'inspirent d'une chanson populaire anglaise, *The little pretty one...*, et Verlaine, à cette date, comme Rimbaud, travaille à traduire des recueils de chansons.

Deux des *Aquarelles* sont inspirées par des souvenirs de Londres. *Streets I* a été composé à Hibernia Store, au coin d'Old Compton Street et de Greek Street. C'était là que Vermersch avait fait ses conférences. Verlaine a vu danser la gigue, soit dans le bar même, soit dans la rue, au carrefour. Comme les autres Français, il voyait dans la gigue une danse typiquement anglaise, la danse anglaise par excellence.

Dans *Streets II* il s'agit du Regent's Canal, probablement à l'endroit où il débouche du souterrain qui passe au-dessous de Maida Vale. Il coule d'abord tout droit entre Blomfield Road et Maida Hill, encaissé entre deux murs. Mais arrivé à Maida Hill il ne longe plus qu'un seul mur, comme Verlaine eut le soin de le préciser dans une variante. Le quartier est presque rustique, formé de petites maisons, de *cottages* plutôt jaunes que noirs, entourés de jardins. Au point où *Regent's Canal* se joint au *Grand Junction's Canal*, il forme un petit lac qui entoure un îlot vert. On comprend que Verlaine ait vivement senti le pittoresque inattendu de ce coin de campagne au milieu de l'énorme métropole.

Ces pièces d'*Aquarelles* sont les plus récentes des *Romances sans paroles.* Lorsqu'il les composait, il y avait longtemps que Verlaine méditait la publication d'un volume de vers. L'idée apparaît pour la première fois dans une lettre de septembre 1872. Il se disposait, à cette date, à grouper plusieurs des *Paysages belges* en une série qui devait s'intituler *De Charleroi à Londres.* Le 24 septembre, le titre du futur volume était choisi : ce serait *Romances sans paroles.* Le poète prévoyait que le recueil serait imprimé avant un mois. Le 1er octobre, l'impression était imminente. L'ensemble, dans l'esprit de Verlaine, formait alors une série d'impressions vagues, tristes et gaies, avec un peu de pittoresque presque naïf dans *Paysages belges*, avec une partie élégiaque qui serait *la Bonne Chanson* retournée. Mais les choses traînèrent en longueur. En décembre, Verlaine espérait encore que son recueil paraîtrait en janvier. Il avait disposé les poèmes en quatre parties : *Romances sans paroles*, *Paysages belges*, *Nuit falote*, *Birds in the Night.* Au total quatre cents vers.

Les événements bouleversèrent ces projets. Verlaine songea successivement à plusieurs éditeurs. Au mois de mai 1873, il confia le manuscrit à Lepelletier. Celui-ci finit par s'entendre avec un imprimeur de Sens. Le poète, bientôt après, était emprisonné, mais il entretint avec son ami une correspondance active. Il lui donnait les instructions les plus minutieuses. En mars 1874, les *Romances* parurent, si l'on peut employer ce mot pour un tirage limité et pour un volume qui ne fut même pas mis en vente. Elles ne reproduisaient plus exactement l'état de décembre 1872, mais celui de mai 1873. La première partie s'intitulait maintenant *Ariettes oubliées*. De la troisième partie, *Nuit falote*, Verlaine n'avait gardé qu'une seule pièce. Il avait en revanche ajouté les impressions anglaises d'*Aquarelles*, composées après décembre 1872.

LE SOMMET DE L'ŒUVRE 6

Avant Mons

A peine le manuscrit des *Romances* était-il envoyé à Lepelletier que Verlaine envisageait de nouvelles publications. Il fourmillait, disait-il, d'idées nouvelles, de projets vraiment beaux. Il songeait à publier *les Vaincus*, dont une partie, intitulée *Sous l'Empire*, devait comprendre *le Monstre*, *le Grognard*, *la Soupe du soir*, *Crépuscule du matin*, *les Loups*, parus dans les revues en 1867-1869. Il annonçait un volume — le même peut-être — qui aurait contenu des sonnets, de vieux poèmes saturniens, des vers politiques et quelques obscénités. Parmi celles-ci, il mettait *les Amies*. Il rêvait surtout de s'essayer à une nouvelle forme poétique dans un volume de *Choses*, avec *la Vie au Grenier*, *Sous l'eau*, *l'Ile*, *le Sable*. Chacun de ces poèmes devait comprendre de trois cents à quatre cents vers. Nous ne les possédons pas, et nous n'avons pas les brouillons ou esquisses qui pourraient nous instruire sur eux. Les indications que contient la correspondance ne sont pas faites pour nous en donner une idée précise. Il s'agissait des *choses*, de leur bonté, de leur malice, et l'homme en était complètement banni. C'étaient, dit encore Verlaine, des paysages purs et simples d'un Robinson sans Vendredi. Ils étaient à la fois très pittoresques et très musicaux. *L'Ile* était un grand tableau de fleurs et *la Vie au Grenier*, une sorte de Rembrandt.

Verlaine allait tenter une voie nouvelle. C'était, dans sa pensée, un « système » auquel il espérait arriver. Il rêvait d'une réforme dont il aurait donné la théorie dans la préface des *Vaincus*. Il se proposait d'y faire la critique des poètes, de leurs efforts trop visibles, de leurs artifices, de leur vaine éloquence.

En réalité les pièces qu'il composa vers cette date sont très diverses d'inspiration, et ce serait une gageure de vouloir les ramener à une commune esthétique. A Bruxelles, dans la prison, Verlaine a peut-être composé *la Grâce*, *Don Juan pipé*, *l'Impénitence finale ;* on serait tenté de dire que plus probablement il a mis au net, dans la cellule des Petits-Carmes, ces poèmes qu'il avait ébauchés au cours des mois précédents. Un éditeur a imaginé que Verlaine les avait écrits bien des années plus tôt, que c'étaient là des œuvres de jeunesse, et que le poète les a seulement « retapés » à Bruxelles. Pour avancer une telle hypothèse, il faut ne pas savoir lire. Car le texte essentiel et central de *la Grâce* développe, sur l'amour, le thème que Verlaine venait de chanter dans l'admirable sonnet d'*Invocation* en mai 1873, et *Don Juan* reprend sur la sainteté de la Chair l'idée qu'il avait affirmée dans le même sonnet.

Ce qui est vrai, c'est que Verlaine recourt, de façon curieuse, à une forme d'un romantisme vieilli, et dont on pouvait le croire, à cette époque, très éloigné : le conte fantastique, la légende miraculeuse et dévote. L'auteur des *Fêtes Galantes* et des *Romances* s'amuse à composer des poèmes narratifs, comme on en écrivait au temps de Musset et Gautier. Il le fait avec une aisance bien agréable, avec une verve excellente, avec parfois quelque mauvais goût : mais on hésite à le lui reprocher, tant il est probable que ce mauvais goût est volontaire et que le poète nous invite à nous moquer un peu.

Le très grand intérêt de ces poèmes est bien moins dans leur forme savoureuse que dans les révélations qu'ils nous apportent sur certaines préoccupations de Verlaine et de Rimbaud dans les derniers mois du séjour de Londres, immédiatement avant Bruxelles. Si étrange que l'idée puisse d'abord paraître, les deux hommes ont rêvé de réaliser le pur amour, au sens quiétiste du mot. Un amour au-delà du bien et du mal, de la récompense et du châtiment, du Ciel et de l'Enfer. Un amour qui est pur en ce sens qu'il est l'Absolu et qu'il n'a d'autre fin que lui-même. Damnées à deux, les deux âmes, dans *la Grâce*, trouveront ensemble le bonheur : feux de l'Enfer, feux de l'Amour se confondent et se multiplient. C'est ce nouvel Amour qui inspire la révolte de Don Juan. Il est la Bonne Nouvelle. Il est la révolte de l'esprit et de la chair, l'émancipation de l'homme et la fin de la servitude.

A l'origine de ces idées, comment ne pas reconnaître Rimbaud? Le « grand damné », c'est lui. C'est lui, le comte assassiné dans *la Grâce*, lorsqu'il demande à la comtesse de descendre en enfer avec lui, de ne pas faiblir, de renoncer au bonheur solitaire et banal. Il avait tout pour être bon chrétien, dit Verlaine, le baptême et la foi. Mais il a voulu prendre la place de Dieu. Entreprise dont le poète, à Bruxelles, commence à mesurer l'audace chimérique. Le Diable ironique raille l'impuissante tentative et rappelle qu'il n'est pas donné à l'homme de devenir Satan.

Étroitement apparenté à ce groupe de poèmes par les intentions morales, mais tout différent et infiniment supérieur par l'art et la beauté, *Crimen*

Amoris fut, nous dit Verlaine, écrit à Bruxelles, aux Petits-Carmes, dans les tout premiers jours de l'emprisonnement. L'allusion à l'aventure de Londres y est évidente, et le meilleur commentaire de *Crimen Amoris*, c'est *Une Saison en Enfer*. L'imagerie vient pourtant de Baudelaire, et l'on a très justement noté la dette de Verlaine à l'endroit des *Tentations* dans les *Petits Poèmes en prose*. Ces démons à la troublante beauté d'androgynes, c'est Baudelaire qui lui en a donné l'idée. Mais son ambition n'est pas de paraphraser une belle page du maître. Il a voulu raconter, sous une forme symbolique, la grande entreprise de Rimbaud.

C'est lui, le plus beau des mauvais anges. Il avait seize ans lorsqu'il vint à Paris. Il porte sur lui le signe du désespoir. Rien que l'Absolu ne l'occupe. Il apporte un message, celui de la libération de l'homme par l'amour. Que cesse l'opposition du bien et du mal, du licite et du défendu, le schisme entêté qui oppose les Saints et les Pécheurs. L'équilibre des deux forces contraires ne suffit pas. Il faut que le Pire et le Mieux s'absorbent l'un dans l'autre et que les Sept Péchés rejoignent les Vertus théologales. Alors seulement l'Amour universel règnera. Le jeune Satan met le feu au monde. C'est-à-dire qu'il entreprend de donner à l'humanité l'exemple d'une vie libérée. Mais lorsque Verlaine écrit *Crimen Amoris*, il savait déjà que la tentative était manquée. Manquée au point de ne laisser derrière elle aucun vestige : un vain rêve évanoui. Maintenant un paysage s'étend : une nuit emplie de clair de lune, dans une plaine semée de bois noirs et d'étangs. Les choses en repos adorent Dieu. A la révolte a succédé l'acceptation.

Cet étrange mystère est probablement, de tous les poèmes de Verlaine, celui qui peut nous donner l'idée la plus exacte du « système » dont il rêvait à Jehonville. Cette poésie luxuriante, pleine de flammes et de rubis, cette poésie musicale, ces rythmes raffinés, ces phrases qui se déroulent onduleuses, insaisissables, voilà qui répond bien aux indications que Verlaine avait données à ses amis vers le mois de mai 1873. Il adopte ici l'hendécasyllabe dont on a pu dire qu'il était la perfection de l'inachevé, qui annonce l'alexandrin, le fait prévoir, puis se dérobe. Il le rend plus fluide encore en variant de vers en vers la position des césures. Nulle constance donc, rien qui permette de prévoir le rythme et de trouver, dans l'accomplissement de cette attente, une satisfaction paresseuse. Comme l'a dit un excellent critique belge, Marcel Thiry, Verlaine fait s'évanouir le *poème* pour que jaillisse, pure enfin, la *poésie*.

A la même époque, durant les premiers temps de la prison, Verlaine a composé d'autres pièces. Il les recueillera plus tard dans *Parallèlement*. L'une d'elles, qui s'intitulait alors *Promenade au Préau* nous apporte la plus précieuse indication. Lorsqu'il l'envoya à Lepelletier, Verlaine la fit précéder de cette remarque : « Ça, c'est le vieux système : trop facile à faire et bien moins amusant à lire, n'est-ce pas? » Nous prenons donc le poète sur le fait. Avec cette maîtrise de l'expression, ce détachement qui lui permettent d'adopter à volonté tel ou tel registre, il s'amuse à composer, dans le même temps, selon deux « systèmes » différents, et lorsque nous comparons *Promenade au préau* à *Crimen Amoris* par exemple, ou à *Invocation* (le futur sonnet de *Luxures*), nous comprenons enfin quelle fut l'exacte signification de ces découvertes poétiques que Verlaine annonçait de Jehonville à ses amis, au printemps de 1873. Car *Promenade au préau* est une œuvre charmante. Placés à la suite des *Romances sans paroles*, elle y ferait bonne figure. Elle abonde en notations pittoresques et fines. Son rythme évoque la marche des prisonniers, le bruit de leurs sabots sur les pavés de la cour. C'est de l'excellente poésie impressionniste. Mais précisément Verlaine a rompu avec l'impressionnisme.

Après en avoir épuisé les ressources, il en découvre maintenant les limites. Il y a mieux à faire au poète que de noter des impressions. Il faut atteindre, au-delà, l'âme mystérieuse des choses, il faut par-delà les apparences, pousser jusqu'à la réalité, qui est esprit. Plus profondément que la sensation, le poète doit saisir, en lui-même, la tragédie de l'homme, pénétrer jusqu'à ces retraites où l'âme choisit entre le bien et le mal, entre l'acceptation et la révolte; il doit peindre ces déchirements, ces espoirs de liberté, ces défaites qui font le pathétique de notre destinée. Entre cette vie secrète de l'âme et celle des choses il appartient au poète de dégager, de découvrir les mystérieuses correspondances. Le monde sensible n'est plus, pour Verlaine, la matière de notations pittoresques. Il devient le miroir de son destin, l'image de ses désastres et de ses espérances. Dans l'œuvre de Verlaine le véritable symbolisme, non plus le jeu amusant des synesthésies, mais la poésie de l'invisible et des au-delà, est né en 1873.

A l'origine de ces idées, nous devinons Rimbaud. Le plus intime confident de celui-ci, Delahaye, a mis l'accent sur sa volonté de rendre à la poésie la signification qu'elle avait perdue. Il ne voyait dans l'art, a dit Delahaye, qu'un moyen d'exposer aux foules l'idée de révolution par la fraternité et l'amour. Il n'avait que dédain pour les gens de lettres et les esthètes. Esthètes, à coup sûr, les Parnassiens à la façon de Mendès. Mais esthètes aussi les amateurs d'*impressions* à la manière de Mérat. La poésie était quelque chose de plus sérieux, elle était œuvre sacrée, accomplissement d'une mission, elle était révélation. De ces idées de Rimbaud, Verlaine a recueilli tout ce que son propre tempérament d'homme et de poète était capable d'accueillir.

D'autre part Rimbaud lui a révélé certains écrivains dont il avait fait trop peu de cas jusqu'alors. Nous le savons de façon positive pour Marceline Desbordes-Valmore. C'est Rimbaud qui a « forcé » Verlaine à lire toutes les œuvres de la poétesse, alors qu'il croyait qu'elles étaient seulement « un fatras avec des beautés dedans ». Nous pouvons penser que c'est encore Rimbaud qui lui a ouvert les yeux sur les vraies valeurs de l'École romantique. On sait quel dédain les Parnassiens affichaient pour Lamartine et Musset. Ce sont ces deux poètes que Verlaine place maintenant le plus haut. Non pas, nous le soupçonnons, le Lamartine des *Méditations*, mais le poète trop peu lu de *la Chute d'un Ange*. Verlaine éprouve pour lui, au printemps de 1873, une admiration définitive. Il le mettra plus tard aux côtés de Baudelaire. Citant les plus grands poètes de notre littérature, il citera désormais Lamartine et Musset. Il ne nommera jamais Victor Hugo. Dans Marceline Desbordes-Valmore, il goûta le flot continu d'images, le libre jaillissement où s'exprimait une âme noble et sensible. Il remarqua avec une particulière attention l'emploi de l'hendécasyllabe. Et c'est à elle qu'il emprunta le distique, si peu pratiqué, si émouvant pourtant, la forme qui correspond le mieux, chez nous, aux versets des *Psaumes* dans la Bible.

Dans la prison de Mons

On imaginerait que Verlaine passa sans rien écrire les premiers mois de sa prison. Il était pourtant à peine transféré à Mons de quelques semaines qu'il envisageait le projet d'un nouveau volume et qu'il composait l'une de ses œuvres les plus précieuses, l'admirable série qui forme *Mon Almanach pour 1874*. Sa poésie s'oriente alors vers l'expression de son drame intérieur, de ses accablements, de son effort vers une vie purifiée et heureuse. L'idée religieuse le sollicite dès lors et il écrit des *Cantiques à Marie*, des *Prières de la Primitive Église.*

Gardons-nous d'ailleurs d'un excès de certitude. Après sa sortie de prison, Verlaine a formé un manuscrit où il a rassemblé les pièces qu'il aurait composées à Bruxelles et à Mons, entre le mois de juillet 1873 et le mois de janvier 1875. Il l'a intitulé *Cellulairement.* Ce précieux cahier a été vu et étudié par Ernest Dupuy, et cet excellent critique a pu croire qu'il tenait en main le premier état des poèmes composés en prison. Il en résulterait que toute confiance doit être accordée aux indications du manuscrit sur la date et les circonstances de composition des pièces. Aucun doute pourtant. M. Underwood a bien montré que ce cahier fut formé à Stickney, que Verlaine a disposé les pièces du recueil, non point dans l'ordre réel de composition, mais selon un plan préconçu, pour des raisons de symétrie, et qu'il les a datées en fonction des scènes qu'elles évoquaient. Les conséquences de cette démonstration sont importantes. Il n'existe de pièces sûrement écrites en prison que celles qui furent envoyées par Verlaine à Lepelletier durant les dix-huit mois de Mons, c'est-à-dire *l'Almanach pour 1874*, les sonnets de *Jésus m'a dit...*, et quelques courtes pièces. Il subsiste, pour les autres, un doute qui ne peut être pour le moment surmonté.

De ces pièces se dégage l'impression que Verlaine poursuit sa voie dans la direction qu'il s'est assignée au printemps de 1873. Si *Promenade au Préau* est écrit selon « le vieux système », si *le Pouacre* donne l'impression d'être un « vieux *Poème saturnien* », *l'Almanach*, les sonnets de la série *Jésus m'a dit...* continuent l'admirable ascension qu'on avait alors observée. La plus belle, la plus caractéristique des pièces de *l'Almanach*, *l'Été*, est pur symbole. Non pas description et impression, mais transposition. Cette chaleur accablée, cette soif d'eau glacée, ce bourdonnement obsédant de la guêpe, cette chambre obscure que traversent des rais de lumière, existent seulement comme symboles d'une âme écrasée, enfoncée dans une nuit que percent quelques lueurs d'espoir. Même symbolisme dans les sonnets que Verlaine composa au lendemain du 15 août 1874, c'est-à-dire, si ses propres récits sont exacts, au lendemain du jour où il se confessa et reçut la communion. On en a relevé avec raison l'admirable élan, l'humilité bouleversante Mais il faut bien voir aussi, du point de vue purement poétique, l'audace du métaphorisme qui transpose en termes de beauté les vérités spirituelles. Lorsque Verlaine écrit :

> O Ma nuit claire! ô tes yeux dans Mon clair de lune!
> O ce lit de lumière et d'eau parmi la brume!
> Toute cette innocence et tout ce reposoir!

il n'est pas seulement un grand poète religieux, il est un artiste, un créateur de pure beauté.

Si l'on se fie à l'indication concordante du manuscrit de *Cellulairement* et d'une lettre à Valade, c'est à Mons, au mois d'avril 1874, que Verlaine a composé l'une de ses œuvres les plus connues, *l'Art poétique*. Cette œuvre charmante a peut-être souffert d'être trop abondamment commentée. Elle n'offre, d'elle-même, aucun mystère. Mais les exégètes l'ont tellement gonflée d'intentions, en ont à ce point exagéré la portée qu'il devient nécessaire de s'arrêter sur ces quelques strophes pour en voir l'exacte signification. Émile Blémont venait de publier dans *le Rappel* du 16 avril 1874 un article sur les *Romances sans paroles*. Il avait dit : « C'est encore de la musique. » On aime à penser que Verlaine a écrit ces quelques vers pour commenter la phrase de son ami.

Nous savons maintenant que ce n'est pas en avril 1874 que Verlaine a donné à sa poésie une orientation nouvelle. Nous savons qu'il était depuis longtemps détaché du Parnasse et que par conséquent il ne pouvait en avril 1874 songer à proclamer cette rupture. Nous savons aussi que depuis le printemps de 1873 il s'est éloigné de l'impressionnisme et que même les *Romances sans paroles* ne représentent plus exactement ses préférences. L'*Art poétique* n'est pas un code, et Verlaine ne songe pas à légiférer. C'est en pur poète qu'il parle. Il dit ce qu'est la poésie pour lui, une musique, une vibration de l'âme, un élan vers d'autres cieux et d'autres amours. Il dit la libération des vieilles contraintes, et ce n'est pas sa faute s'il rencontre sur sa route la plus contraignante des poétiques, celle du Parnasse, ses exigences de rime, son goût des couleurs éclatantes et des contours trop nets. Technique étouffante, mais surtout technique qui barre au créateur son élan, qui trompe, qui met la poésie dans ce qui est justement son contraire. Dans *l'Art poétique* Verlaine a rappelé à ses contemporains, il nous rappelle à tous la vraie signification de la poésie, sa valeur de pure spiritualité.

Sagesse

Ce n'est pas à Mons, c'est après la sortie de prison, c'est à Stickney que Verlaine sentit enfin renaître en lui la confiance et la verve. Son activité se déploie alors sur plusieurs plans. Il songea d'abord à renouer avec le monde littéraire de Paris, avec ces Parnassiens dont il pouvait se sentir éloigné, mais qui n'en étaient pas moins, en 1875, le seul groupement où il pût faire accepter ses vers. Il avait su que l'on préparait un troisième *Parnasse.* Vers le 1er juillet 1875, il adressa son envoi à Émile Blémont. Plusieurs mois il attendit une réponse. Au mois de septembre il sut que le *Komité des grâces*, comme il disait, lui était résolument hostile. Les décisions étaient prises par Leconte de Lisle, Banville, Coppée et Anatole France. Ces hommes ne surent imposer silence ni à leurs rancunes politiques, ni aux étroitesses de leur goût. Au mois d'octobre, ils écartèrent les vers de l'exilé. Verdict insensé, mais qui aujourd'hui fait honneur à Verlaine; il se trouvait refusé en même temps que Mallarmé. *L'Après-midi d'un faune* n'avait pas mieux que ses propres vers trouvé grâce auprès des augures.

En même temps il préparait la publication de *Cellulairement*. De Stickney il envoyait en France, à Delahaye, cent vers à la fois, les éléments de ce volume. Commencés vers la fin de mai 1875, ces envois se terminèrent le 26 octobre 1875. *Cellulairement*, à cette date, formait un ensemble de trente-deux pièces et de dix-huit cents vers. On y trouvait *Mon Almanach pour 1874*, les contes diaboliques, *Crimen Amoris*, l'*Art poétique*, quelques très belles pièces inspirées par la prison, une série de *Vieux Coppées* et, pour finir, les dix sonnets de *Jésus m'a dit...* Verlaine espérait que le recueil serait imprimé à Charleville. Le projet échoua, et Verlaine se tourna vite vers une autre entreprise. Dans une lettre du 19 novembre 1875, il ne dit plus un mot de *Cellulairement* et il annonce qu'il a deux volumes en train, *Sagesse* et *Amour*.

C'est que, depuis sa sortie de prison, son ambition était de chanter ses nouvelles croyances dans une grande œuvre religieuse. En avril 1875 il travaillait à des cantiques spirituels. Il prévoyait un vaste poème qui s'intitulerait *le Rosaire*. Ce devait être immense : toutes les civilisations et toutes les légendes. Au centre, la figure de la Vierge. Verlaine prévoyait de quatre à cinq mille vers. Devenu légitimiste, il songeait aussi à un livre patriotique. Sans attendre plus longtemps, il entreprit deux livres où il dirait ses résolutions, son courage, son bonheur. Il répartit entre *Sagesse* et *Amour*, sans beaucoup de rigueur, les poèmes qu'il composait alors.

Il ne se bornait pas en effet à rassembler d'anciennes pièces ou à rêver de vagues projets. Il écrivait, et les poèmes qui naquirent alors de son inspiration sont probablement les plus beaux de toute son œuvre. S'il est permis, dans cette vie d'un poète, de discerner et de proclamer une apogée, et dans une production si abondante et si riche en chefs-d'œuvre, de découvrir un sommet, il faut dire que les années de Stickney, de Boston et de Bournemouth ont été cette apogée et marqué ce sommet. C'est en juillet et en août 1875 qu'il écrit le bouleversant poème :

> O mon Dieu, vous m'avez blessé d'amour...

et

> Je ne veux plus aimer que ma mère Marie,

dignes pendants de *Jésus m'a dit...* C'est la même mystique d'union personnelle avec le Christ, la même attitude d'humilité confiante, c'est la même poésie, très savante sous les apparences d'une effusion douce et spontanée.

C'est sans doute un peu plus tard, en 1876 et au début de 1877, lorsque l'humble vie et la règle commençaient à lui peser, c'est alors qu'il écrivit trois splendides sonnets qui peuvent figurer parmi ses plus rares chefs-d'œuvre, *O vous comme un qui boite au loin...*, *Les faux beaux jours ont lui...* et, à un degré moindre, *La vie humble aux travaux ennuyeux et faciles...* L'ampleur du trait, la fermeté du contour, la franchise hardie du style montrent, dans la poésie de Verlaine, la persistance des ambitions de 1873 et leur admirable épanouissement. Presque plus de phrases, ni de verbes; des éclairs qui se succèdent, des métaphores brusquement introduites. Aucun pittoresque gratuit, nul détail simplement agréable, l'art le plus sobre, le plus austère. Parfois une image éclate, non pas empruntée au banal répertoire, mais saisie dans la réalité familière :

> Vieux bonheurs, vieux malheurs, comme une file d'oies
> Sur la route en poussière où tous les pieds ont lui,
> Bon voyage!

Enfin apparaît, dans sa splendeur, cet authentique symbolisme qui est la grande découverte de 1873, ce dépassement de l'impressionnisme et de ses charmes trop faciles. Qu'on observe de près *Les faux beaux jours ont lui...* Ce ne sont point des impressions cueillies un soir d'orage. Le sujet de ces vers, c'est l'âme du pécheur revenu au bien, qui sent gronder en elle les vieilles tentations. Ce trouble, cette angoisse, cette fuite vers le Dieu de miséricorde, le poète ne les exprime pas directement, comme il avait jadis chanté directement les joies et les puretés de *la Bonne Chanson.* Tout son poème est une seule métaphore. Un paysage d'orage, une lumière cuivrée, les pentes de la vallée battues par l'averse. Mais dans le lointain une autre perspective, de pureté, de silence, de prière. Une femme passe, les yeux baissés, les mains jointes : l'âme du poète telle qu'il faut qu'elle devienne, qu'elle demeure.

A côté des pièces qui contiennent et couronnent l'effort antérieur, qui se placent dans sa ligne et dans son prolongement, il en est d'autres qui nous mettent en présence d'un univers poétique inattendu. Des allégories s'y animent. Voici le bon chevalier Malheur qui enfonce ses doigts de fer dans la poitrine du poète et y fait naître un cœur nouveau. Voici une Dame en vêtement de neige qui descend sur la nue et met en fuite le monstre, la Chair, âpre géante. Cette Dame, c'est la Prière. Voici l'allégorie d'un siège de ville : soutenu malgré les trahisons qui, à l'intérieur de la place, se préparent à livrer les clefs à l'Ennemi suborneur. Il y a là une inspiration nouvelle dans l'œuvre de Verlaine. On serait tenté d'imaginer qu'il avait pris connaissance, par une voie inconnue, de notre vieille littérature allégorique. Mais beaucoup plus probablement, c'est dans la poésie anglaise, chez Bunyan et plus près de nous chez Tennyson que Verlaine a pu connaître cette sorte de poésie, qui est une des traditions de la littérature anglaise.

Les recherches diligentes de M. Underwood ont établi la parenté générale d'inspiration entre certaines œuvres allégoriques d'Outre-Manche et ces pièces de *Sagesse*. Elles n'ont pourtant pas réussi à déceler des imitations précises et une filiation directe. Elles n'ont pas réussi non plus à prouver que les poésies religieuses de *Sagesse* aient été directement inspirées par le *Livre des Hymnes* de l'Église anglicane. Du moins ont-elles mis en lumière des ressemblances fortes et nombreuses. Verlaine avait admiré la sobre beauté des *Hymnes*, où la poésie biblique se fond avec l'antique liturgie chrétienne par où la vieille foi s'était exprimée pendant des siècles sous ses formes les plus émouvantes. Peut-être a-t-il voulu rendre à notre peuple une poésie à laquelle depuis le temps de Marot et de Goudimel il s'est peu à peu fermé. Du moins Cazals a-t-il écrit en 1896 : « Ce fut en Angleterre qu'il produisit cet ouvrage transcendant, *Sagesse*, qu'avaient inspiré, déclarait-il, ces cantiques anglais qu'il ne se lassait pas d'écouter et que jamais il n'entendait à nouveau sans éprouver un attendrissement indescriptible. » Des pièces comme :

> Va ton chemin sans plus t'inquiéter...

et

> Pourquoi triste, ô mon âme,
> Triste jusqu'à la mort...

donnent probablement l'exemple de poésies inspirées par les chants de la liturgie anglicane.

Si nous avions sur les sources catholiques de la poésie de *Sagesse* un travail analogue à celui de

M. Underwood, nous pourrions définir avec plus d'exactitude les développements de l'inspiration religieuse entre la conversion et la publication de *Sagesse*. Il eut, dès les mois de la prison, l'ambition légitime de faire de sa foi la vie même de son intelligence et par conséquent de la nourrir de lectures étendues. Il continua dans cette voie pendant le séjour en Angleterre. En avril 1875, il se découvrait des « yeux métaphysiques », il écrivait à Delahaye qu'il était en train de « s'enfoncer dans tous les problèmes ». En septembre nous le trouvons plongé dans saint Thomas et il venait alors d'acheter les œuvres de sainte Thérèse. A Rethel l'évolution s'est accentuée : on le devine alors nourri de lectures ascétiques.

Les recherches n'ont pas été faites, ou ne l'ont pas été avec la méthode et la patience nécessaires. Il serait bon pourtant de savoir par quelles voies Verlaine eut connaissance de ces textes émouvants de saint Bonaventure ou de sainte Catherine de Sienne qu'il mettait alors en épigraphe à ses poésies, et s'il connaissait de ces maîtres de la vie spirituelle autre chose que quelques phrases cueillies au cours de ses études. Le problème, entre tous difficile, a fait un pas considérable par la révélation d'un carnet où Verlaine a pris des notes de lecture et jeté quelques pensées durant les années de Mons et de Stickney.

Parmi les livres de religion que possède le nouveau converti ou qu'il se dispose à étudier, des titres qui reviennent souvent sont la Bible et le Bréviaire, et l'on devine, aux textes qu'il cite, qu'il les a abordés en croyant, mais aussi en poète. Il possède aussi sainte Jeanne de Chantal et les *Méditations* de Bossuet. Il note, probablement parce qu'il se propose de les lire : « Mystiques espagnols : Louis de Grenade, Louis de León, Jean d'Avila, sainte Thérèse ». Mais il possède aussi plusieurs exemplaires de la *Somme théologique*, plusieurs volumes de Joseph de Maistre et de Balmès. Il semble avoit attaché un intérêt particulier aux *Études philosophiques* d'Auguste Nicolas *sur le Christianisme*. Il conserve dans ses déplacements plusieurs traités d'apologétique. On découvre, en ce chrétien que l'on croirait tout instinctif, une constante préoccupation de justifier par la science et de confirmer sa foi.

Préoccupation légitime et qui l'honore. Mais elle éclaire peut-être le fléchissement qu'il faut bien constater dans les poésies de 1877-1880. Pour la première fois l'on observe chez lui des fautes de goût, des défaillances. Telles stances sur Paris, écrites probablement vers septembre 1877, ne sont pas sans beauté. Mais elles finissent mal, dans la boursouflure et le pléonasme :

> De près, de loin, le Sage aura sa thébaïde
> Parmi le fade ennui qui tombe de ceci,
> D'autant plus âpre et plus sanctifiante aussi
> Que deux parts de son âme y pleurent, dans ce vide!

Les pièces qui suivent, dans *Sagesse*, sont de même style. La description d'Arras est d'un prosaïsme à la Coppée. La *Fête du blé* est meilleure; mais lorsqu'on l'observe bien, elle apparaît d'une éloquence un peu vide, d'un romantisme oratoire qui ferait penser à un Lamartine inférieur.

C'est que, durant ces quelques années, Verlaine s'applique moins à faire œuvre de poésie qu'à exprimer en vers les préoccupations de son intelligence et son dogmatisme de nouveau converti. Il est persuadé que l'art est humaine vanité. S'il compose encore des vers, beaucoup de vers, croit-il encore à la poésie? Envoyant à Charles de Sivry, pour Mathilde, l'exquis poème :

> Écoutez la chanson bien douce
> Qui ne pleure que pour vous plaire...

il y joignait ce scandaleux commentaire : « Je l'intitulerais Picotin-Picota, prêchi-prêcha, et ça me semble, comme tout effort parisemard, d'un bête, d'un bête! Enfin, voici cette musicaillerie, sans talent aucun, je le crains. » Nous voilà, hélas! prévenus. Quand Verlaine à Rethel retrouve les pures inspirations de jadis, il est le premier à ricaner : effort parisemard, simple musicaillerie.

Parce qu'il a mis son génie au service d'une orthodoxie, les poèmes de cette époque sont écrits dans un vocabulaire abstrait où se heurtent les entités les plus froides, en phrases à la fois hésitantes et compliquées. A titre d'exemple ces tristes vers :

> Colères, soupirs noirs, regrets, tentations,
> Qu'il a fallu pourtant que nous entendissions
> Pour l'assourdissement des silences honnêtes,
> Colères, soupirs noirs, regrets, tentations...

C'est le moment où Verlaine compose son fameux sonnet :

> Non, il fut gallican, ce siècle, et janséniste!
> C'est vers le Moyen Age énorme et délicat
> Qu'il faudrait que mon cœur en panne naviguât
> Loin de nos jours d'esprit charnel et de chair triste.

Le Moyen Age en effet, Mais non pas celui des doux poèmes d'amour courtois; non pas celui, réaliste et ironique, des contes et des farces. Celui plutôt des *Sommes* et des poèmes didactiques, l'âge le moins ingénu, le plus outrancièrement raisonneur, et contre lequel a été écrit le *De Imitatione Christi*. Les poésies de Rethel rappellent en effet ce Moyen Age par leur abstraction et par leur maladresse.

Le catholicisme de Verlaine avait été, dès le début, marqué par Joseph de Maistre. Il l'avait été aussi par Barbey d'Aurevilly, et l'on ne s'étonne pas d'apprendre que le poète avait dans sa petite bibliothèque les *Prophètes du Passé*. Il possédait aussi une *Histoire des*

Jésuites en trois volumes, une vie de Marguerite-Marie Alacoque. On s'explique sa haine de la démocratie et du régime républicain. Les dessins de Delahaye, ceux de Verlaine et de Germain Nouveau, prouvent à quel point, vers 1880, ces néophytes confondaient la religion et la politique. Voilà qui éclaire les poèmes patriotiques et légitimistes de *Sagesse*. Hélas ! Verlaine n'a pas la grande allure de Barbey d'Aurevilly. On le sent plus sectaire, plus hargneux. Ses poèmes manquent à la fois de verve et de goût.

Depuis 1875, *Sagesse* se préparait et ne s'achevait pas. Qu'on se souvienne des événements qui dans la vie de Verlaine marquèrent ces années. En 1877 le retour en France et l'enseignement à Rethel. En août 1879 le nouveau départ pour l'Angleterre, les mois de Lymington et, à la fin de décembre, le retour définitif en France. Au mois de mars 1880 l'achat de la ferme à Juniville. Durant ces années de solitude, loin de Paris, sans rapport, même par lettre, avec ses anciens amis, sans relation avec les libraires, Verlaine retarde sans cesse l'impression de son livre. Enfin, en 1880, il se met en rapport avec la Société Générale de Librairie Catholique. Une fois de plus il dut faire les frais de l'édition. Le tirage fut fixé à 500 exemplaires et lui coûta 549,50 F. Le volume parut vers le début de décembre 1880 avec, sur sa couverture, la date de 1881. Le service de presse fut important, mais ne suffit pas à rompre la conspiration du silence qui s'était faite sur le prisonnier de Mons. Il fallait la naïveté de Verlaine pour croire que la clientèle catholique viendrait à lui et le vengerait du dédain des gens de lettres. *Sagesse* ne se vendit pas. L'éditeur, encombré de ces exemplaires inutiles, les fit porter, dit-on, dans ses caves.

A qui veut parler en justes termes de ce chef-d'œuvre de notre poésie, il importe d'abord de se dégager d'une erreur longtemps soutenue. Il est

Coll. Sirot

Rachilde a noté son regard terrible, aigu, noir, le regard d'un roi... (p. 68)

inadmissible qu'on puisse parler de *Sagesse* comme si Verlaine, au moment où il le publia, avait cessé de croire et de prier. Il est scandaleux qu'on aille imaginer, de sa part, des sourires hypocrites au moment où, dans ces derniers mois de 1880, il corrigeait les épreuves de son livre. L'erreur traditionnelle sur le vrai caractère de son amitié pour Lucien Létinois explique qu'on n'ait pas vu la vérité, que *Sagesse* est le témoignage le plus sincère, l'affirmation passionnée d'une foi, la confidence d'un homme qui s'est mis tout entier dans son œuvre. La sincérité n'est pas une vertu littéraire, et ce n'est pas parce que ce livre est vrai que *Sagesse* est admirable. Mais puisqu'il est des historiens pour prétendre que ces effusions sont mensongères, il est nécessaire de rétablir la vérité et d'affirmer que Verlaine a écrit ce livre avec toute son âme.

Une louange que par contre il est absurde de donner à *Sagesse*, c'est d'être une œuvre « cohérente par excellence », car l'unique défaut que l'on peut se permettre de noter dans ce volume, c'est d'être composite et de mêler des pièces de dates, d'inspiration, de valeur assez sensiblement différentes. Verlaine avait, pour le former, démembré *Cellulairement* et fait passer sept pièces de son manuscrit de 1875 dans le volume de 1880. Il y avait joint les poèmes composés en Angleterre, pour la plupart très beaux, mais aussi les moins bonnes pièces de Rethel et d'une époque toute récente. Cet ensemble, formé de poèmes qui s'échelonnent sur une durée de presque sept années, offre des disparates qui sautent aux yeux du moins averti.

Mais il possède aussi une richesse, une variété et le plus souvent une beauté qui font de *Sagesse* le chef-d'œuvre de Verlaine. Nous sommes peut-être mal préparés à comprendre ce qu'apportait ce livre de neuf et de précieux. Nous ne savons plus assez à quel point notre poésie depuis quinze ans tendait à s'enfermer dans la description des apparences. Qu'elle se livrât aux jeux vains de l'exotisme, qu'elle s'attachât au contraire à noter le pittoresque familier de la vie quotidienne, elle n'avait chez beaucoup à peu près d'autre ambition que de voir et de décrire. Parfois pourtant elle faisait effort pour traduire des mélancolies, des désespérances modernes. Mais c'était, là encore, aux apparences seules qu'elle s'arrêtait. La réalité mystérieuse de l'âme, les arrière-plans, les perspectives lui échappaient. Il s'agissait toujours et uniquement d'impressionnisme. *Sagesse* fut, pour les quelques hommes qui lurent l'humble volume, un message de liberté et de résurrection parce qu'il leur apprit qu'au-delà de l'univers sensible il en est un autre, et qu'atteindre à cet au-delà est pour le poète la seule tâche authentique, le seul devoir.

7
DERNIÈRES ŒUVRES

Les dernières années

C'est de Juniville que Verlaine avait surveillé la publication de *Sagesse.* Il restait alors l'homme que personne ne connaît plus. C'est seulement en 1882, lorsqu'après la liquidation de l'entreprise agricole il ne lui resta plus qu'à tenter sa chance à Paris, c'est alors qu'il reprit contact avec les milieux littéraires de la capitale. Il prit son appui sur l'amitié de Lepelletier. Celui-ci l'introduisit au *Réveil.* Il le présenta à ses collègues du journal, qui tenaient leurs assises à la brasserie Bergère. On vit Verlaine au D'Harcourt, à la Source, au Louis XIII. Il était souvent seul. Parfois Germain Nouveau l'accompagnait. Les nouvelles équipes ignoraient tout de son œuvre. Valade et Mérat, seuls, se souvenaient encore de lui, et il arrivait à Raoul Ponchon de citer un distique de ses anciens poèmes. Montmartre subissait alors la loi de Rollinat.

Mais Verlaine restait plein de courage et, comme il écrivait à un correspondant, il était « absolument résolu à reprendre le combat, en prose et en vers, au théâtre et dans le journal au besoin ». En juillet

1882 il réussit à placer quelques poèmes dans *Paris-Moderne*, revue qui paraissait chez l'éditeur Vanier et qui publiait des vers de Leconte de Lisle, de Banville, de Mendès, mais de quelques autres aussi, de Mérat et de Valade par exemple. Puis en novembre, dans la même revue, Verlaine donna, parmi d'autres pièces, son *Art poétique*. Celui-ci fit du bruit parmi les milieux d'avant-garde. *La Nouvelle Rive Gauche*, qui venait de commencer à paraître le même mois, lui consacra un article. L'auteur signait Karl Mohr. C'était un jeune homme de vingt et un ans, Charles Morice. Son étude était sévère. Elle reprochait à Verlaine d'être un modèle dangereux pour les jeunes. Mais elle était attentive. Verlaine écrivit à Charles Morice, et presque aussitôt devint collaborateur assidu de la revue. Lorsqu'en avril 1883 elle se transforma et prit le titre de *Lutèce*, il continua d'y rester attaché. A son tour *le Chat Noir* de Rodolphe Salis l'accueillit. A partir de mai 1883, Verlaine écrivit dans la revue montmartroise.

Il nouait de solides amitiés. Avec Charles Morice. Avec Moréas dans le début de 1883. Il le rencontrait au D'Harcourt, au Voltaire, dans les bureaux du *Chat Noir*. C'était l'époque où Verlaine et sa mère logeaient dans le modeste, mais décent appartement de la rue de la Roquette. Mme Verlaine y recevait gaîment les nouveaux amis de son fils. On vit chez elle Moréas et Morice, mais aussi Léo Trézenik, Valadon et Ernest Raynaud.

Verlaine bientôt après quitta Paris. La triste période de Coulommes commence alors. Mais il ne se laissa plus oublier. A partir du 24 août 1883, *Lutèce* publia ses *Poètes maudits :* Tristan Corbière d'abord, puis Rimbaud, puis Mallarmé. Cette fois, le succès vint. Car ces études peuvent nous paraître bien hâtives et d'une information superficielle. Aux jeunes gens de 1883 elles apparurent comme un manifeste. Elles leur firent connaître les vraies valeurs de leur temps. Le message atteignit, l'année suivante, le grand public. A celui-ci, Huysmans, dans *A Rebours*, fit connaître l'auteur de *Sagesse*. En trois pages d'excellente critique, il vanta la nouveauté de la poésie verlainienne, il analysa avec finesse et révéla en termes heureux ce qu'offraient d'inouï ses « vagues et délicieuses confidences », faites « à mi-voix, au crépuscule », les « au-delà troublants d'âme », les « chuchotements si bas de pensées » que l'on trouvait chez lui. Les meilleurs esprits étaient atteints : Laforgue lisait et goûtait certains sonnets tristes; le 24 mai 1883 il notait sur son carnet : « Verlaine, quel vrai poète! C'est bien celui dont je me rapproche le plus. »

En 1885, quand Verlaine revint à Paris, il se rendit compte de sa gloire grandissante. Il avait l'intention arrêtée de se jeter dans la mêlée. Le 1er octobre, il écrivait à Vanier : « Zut, je brûle mes vaisseaux. Tam-tam et réclame ! » Aux relations de 1883, d'autres maintenant se joignaient. En 1886 on voit autour de lui Jules Tellier, François-Maurice du Plessys, Rachilde. Il entrait en rapport avec Édouard Dujardin et avec Ghil, qui lui avait envoyé *Légende d'âmes et de sang*. Il faisait maintenant figure de chef d'école.

Deux directions se dessinaient dans le jeune mouvement poétique. Les uns s'orientaient vers une poésie très intellectuelle, chargée de significations secrètes, soutenue par de hautes ambitions métaphysiques. Ils se réclamaient de Wagner et de Mallarmé. On commençait à leur appliquer l'épithète de symbolistes. Les autres, rassemblés principalement sur la Montagne Sainte-Geneviève, restaient fidèles à « l'esprit rive gauche », réclamaient une poésie plus directe, plus franche, plus occupée d'exprimer la sensibilité et les aspirations des modernes. A eux s'appliqua le nom de Décadents. Ils proclamèrent que Verlaine était leur maître.

A regarder de près les petites revues qui pullulèrent en 1885-1886, on se rend compte que la division est à peu près nette. Il est vrai que Verlaine collabore indistinctement à toutes celles qui accueillent ses vers ou sa prose, et qui acceptent de le payer. Mais il n'est vraiment chez lui qu'à *Lutèce*, et cette revue est dans l'ensemble hostile au symbolisme. Elle sympathise avec *le Scapin* et *le Décadent* qui ont, eux aussi, l'esprit rive gauche. Mais elle ne partage pas les hautes prétentions de *la Vogue* et de *la Revue wagnérienne*.

Verlaine affecta de ne rien comprendre à ce titre de chef d'école que les jeunes étaient d'accord pour lui reconnaître. En octobre 1885 il y fit allusion : « Il sait bien, écrit-il, qu'on lui attribue une école. Une école à lui, Verlaine ! Une école qui se proclamerait elle-même décadente. » En réalité, il prit très au sérieux ce rôle qui venait de lui échoir, et la meilleure preuve en est sans doute cette institution des *mercredis* qu'il inaugura aussitôt que les circonstances le lui permirent. Il eut conscience d'être à l'origine et de rester au centre d'un mouvement poétique nouveau. Il l'a défini avec exactitude lorsque, dans sa biographie de Baju, il a rappelé les origines de l'École décadente : « Un certain nombre de jeunes gens, las de lire toujours les mêmes tristes horreurs dites naturalistes, appartenant d'ailleurs à une génération plus désabusée que toutes les précédentes, mais d'autant plus avide d'une littérature expressive de ses aspirations vers un idéal dès lors profond et sérieux, un peu dépris de la sérénité parnassienne, s'avisèrent un jour de lire mes vers. » Réaction contre le Naturalisme et le Parnasse, poésie idéaliste, exprimant à la fois une inquiétude et de hautes aspirations : toute la Décadence, au sens que Verlaine voudra bien reconnaître à ce mot, se trouve ici résumée.

On voit combien la Décadence, telle que Verlaine

réclamait qu'elle fût, se trouvait éloignée du pessimisme et des morbidités « fin de siècle ». L'idée de Décadence était apparue en 1881 dans l'étude de Bourget sur Baudelaire. Elle s'était incarnée en 1884 dans le Des Esseintes de Huymans. Courriéristes et critiques imaginaient que le Décadent se nourrissait de Schopenhauer et de Hartmann, et trouvait dans Darwin des raisons de se désespérer. Verlaine voulait au contraire que la jeune École réagît contre ce pessimisme, contre les platitudes d'une littérature découragée, qu'elle fût saine et délicate. Les déclarations de Verlaine sur la poésie contemporaine s'expliquent par une pensée qu'il n'exprime pas, mais que l'on devine sous-entendue : c'est que la nouvelle École a déjà son chef-d'œuvre, son modèle, le livre qui exprime son idéal de façon souveraine, et que ce livre, c'est *Sagesse.* La *Décadence*, dans l'esprit de Verlaine, est le contraire exactement des *déliquescences* avec quoi certains l'ont confondue.

Ainsi comprise, la Décadence révèle ses vraies origines, ses premiers maîtres. Ce sont deux hommes qui, à l'époque où triomphait le matérialisme, ont soutenu, seuls et avec crânerie, la cause de l'idéalisme, c'est Barbey d'Aurevilly, et c'est Villiers de l'Isle-Adam. Verlaine est depuis 1873 l'admirateur du premier, il est depuis longtemps l'ami du second. C'est à eux qu'il se relie, c'est leur drapeau qu'il relève, et leurs ennemis seront désormais ses ennemis.

Formée par lui, la jeune école réagit d'abord et avant tout contre le matérialisme naturaliste. Elle affirme les réalités de l'âme. Elle n'admet pas que l'homme soit un simple produit, le résultat d'une situation et d'un tempérament. Mais elle s'oppose aussi à l'héritage parnassien, à une conception de l'Art qui le fige et l'isole de la vie. Pour les jeunes Décadents de l'obédience verlainienne, continuateurs de Barbey, la *Vie* est le mot d'ordre. Vie intense, vie riche et subtile, vie de l'âme déchirée entre la double postulation de la Luxure et de l'Idéal, entre Satan et Dieu. La poésie doit prendre dans la vie ce qu'elle offre « de rare, d'intime, de secret ».

Dans le domaine de l'expression, les Décadents développaient et systématisaient l'*Art poétique* de Verlaine. Point d'emphase à la façon des Romantiques et plus précisément de Victor Hugo. Pas de description. Donner la sensation des choses, l'impression des objets. Car le *moi* seul est important. Le monde extérieur fournit seulement au poète les sensations qu'il cultive dans sa rêverie pour en saisir les nuances les plus délicates. Le style doit être rare et tourmenté, le trait doit rester rapide et synthétique, pour noter l'idée dans sa complexité et la faire surgir dans toute sa force.

Cette doctrine de la Décadence répond trop exactement à l'œuvre de Verlaine pour ne pas être aussi l'écho de son enseignement. Malgré les allures pédantesques qu'elle prenait dans les Revues, — mais toute cette décade sacrifie au pédantisme — l'esthétique décadente affirmait un effort de simplicité savoureuse, de subtile clarté, un refus des systèmes et des métaphysiques. Elle s'opposait par là aux Symbolistes et tendait à dresser Verlaine contre Mallarmé. Par certains aspects pourtant leurs œuvres convergeaient. Tous les deux attendaient de la poésie une suggestion, une invitation à construire et à rêver. Tous les deux condamnaient cette forme absurde du réalisme qui prétend former, avec des mots, un double des objets, une sorte de reproduction exacte et totale du réel. Il n'en est pas moins vrai que Verlaine dans l'intimité et que ses amis en public parlaient sans aucune sympathie de l'école mallarméenne. Dès 1885, à propos des *Complaintes* de Laforgue, la revue de Verlaine, *Lutèce*, accusait « les Mallarmé » d'avoir « fumistement jeté l'art dans une ornière », et Léo

Trézenik ne cachait pas qu'à ses yeux Mallarmé était responsable de l'échec de Laforgue, de l'opacité de ses *Complaintes* indéchiffrables, de la « bouteille à l'encre » où il s'amusait à siéger. Certaine lettre de Verlaine, en octobre 1887, parle avec vivacité des « calembredaines » de Mallarmé.

Comment certains historiens peuvent-ils prétendre que ces querelles ou ces oppositions étaient vaines, alors qu'elles mettaient en question l'essence même de la poésie? Et pour ce qui touche Verlaine, comment ne pas voir que c'était son influence qui était alors en jeu? Car le choix à faire, pour les jeunes poètes, était entre la poésie métaphysique qui se réclamait de Mallarmé, et cette « poésie de la vie » que préconisait Verlaine. Peu à peu, certains de ses disciples s'éloignaient. En 1886, Moréas ni René Ghil ne sont plus verlainiens. Vielé-Griffin et Henri de Régnier, un moment séduits, passent dans le camp symboliste. Au mois d'octobre, Ghil proclame le schisme. Il déclare : « scission complète avec les prétendus élèves de Verlaine ». Guy Michaud, dans son *Message du Symbolisme*, place en janvier 1887 le moment où tout le groupe Ghil, Stuart Merrill, Vielé-Griffin et Régnier prirent conscience de l'opposition entre Mallarmé et Verlaine, et sans hésiter optèrent pour le Maître de la rue de Rome.

On ne reprochera pas à Verlaine d'avoir envenimé ces oppositions. On s'étonnerait plutôt qu'il ait mis tant de temps à les comprendre, si l'on n'avait présentes à l'esprit les conditions de sa vie en 1886 et 1887. Aux polémiques entre Symbolistes et Décadents il assista longtemps avec un amusement dédaigneux. A Jules Tellier il écrivait, le 22 novembre 1886 : « La querelle entre les symbolistes, décadents et autres euphuistes est apaisée. » Un mois plus tard, sur le ton le plus détaché : « Tous les petits écrits de la chose décadente ont disparu. » A cette date, le mot *décadent* lui semblait absurde : « Quel bête mot ! », écrivait-il à Lepelletier, et le 15 février 1887, il plaisantait dans une lettre à Coppée sur « nos symbolents et autres décadistes ». De même encore, en juin, il se moquait de « tous ces éphèbes, symbolos et décadards ». Ses disciples à cette date, les seuls qu'il reconnût, c'était Baju, Du Plessys et Ernest Raynaud. Déjà se formait en lui cette idée qu'en fait de poésie il n'est pas de théorie qui tienne, que toutes les poétiques sont également vaines, que le poète n'a d'autre fonction que de chanter. Au mois d'août 1887, Vielé-Griffin lui demanda un exposé de principes. Il répondit, dans son langage plein de verdeur : « Tout est bel et bon qui est bel et bon, d'où qu'il vienne et par quelque procédé qu'il soit obtenu. Classiques, romantiques, décadents, symbolistes, assonants ou, comment dirais-je, obscurs exprès, pourvu qu'ils me foutent le frisson ou simplement me charment, font tous mon compte. »

Il n'aurait donc jamais pris parti ouvertement si certaines provocations ne l'y avaient contraint. On peut fixer au mois de septembre 1887 le début de ce changement d'attitude. « On nous provoque », écrivait-il à Vanier. En novembre il se disait prêt à intervenir. Darzens et Vielé-Griffin, dit-on, l'y poussaient. Il constatait que sur lui le public était mal renseigné. A l'heure même où certains lui reprochaient d'être « tombé dans la pagode de M. Mallarmé », d'autres se plaisaient à l'opposer à l'auteur de l'*Après-midi d'un faune*. Il fallait éclaircir l'atmosphère, affirmer nettement ses positions, sans amphigouri ni reculade.

Il fit donc bloc, et de façon ouverte, avec les Décadents, tandis que Mallarmé devenait le grand homme des Symbolistes. Le 25 novembre 1887 il traita avec Baju de projets pour *le Décadent*. En décembre il donna à la revue une *Ballade pour les Décadents*. La biographie de Baju, dans *les Hommes d'aujourd'hui*, était un exposé de principes fort net.

Puis très vite, dès le mois de janvier 1888, ce fut, sinon la brouille, du moins la séparation. *Le Décadent* avait, contre sa volonté expresse, publié sa *Ballade touchant un point d'histoire*. Il n'était pas au courant des activités d'un groupe où son nom était attaché. Il se retira donc. Voici en quels termes il annonçait ses intentions au Dr Jullien : « J'ai des ennuis avec les décadents. Bien envie de lâcher en douceur cette gosserie plutôt décidément compromettante. Que les gens sont donc bêtes et détestables, même les meilleurs... » En fait il donnera encore au *Décadent* quelques vers jusqu'au mois de juillet. Puis ce sera tout.

Sur l'un des sujets les plus souvent discutés dans les polémiques récentes, sur la rime, il s'était montré d'une rare prudence. Son *Art poétique*, révélé aux jeunes en 1882, ne visait pas à supprimer la rime, et réagissait seulement contre l'excès. Lorsque parurent certains recueils où la prosodie traditionnelle était ouvertement bravée, il rappela les audacieux à la sagesse. Dans une lettre à Gustave Kahn, au mois d'août 1887, il félicita le poète de ses hardiesses, de ses « subtilités savoureuses », de ses « heureux raccourcis ». Mais il avait soin d'ajouter : « Je n'en reste pas moins pour les règles, très élastiques, mais pour les règles quand même. » Dans une autre lettre de la même époque, il faisait amicalement querelle à Ernest Raynaud des hérésies prosodiques du *Signe :* « Rimons peu si nous voulons, mais rimons, tant que nous n'assonnons pas purement et simplement. » Jadis Verlaine s'était gardé de suivre Rimbaud dans sa révolte contre les formes traditionnelles de notre poésie. Il garde la même réserve, la même prudence devant les témérités de la nouvelle génération.

Après Baju et la *Décadence*, voici Moréas et l'École romane. Nouvel avatar de Verlaine qui se laisse une fois encore attirer, puis, comme naguère, se dérobe. On est en 1888, en pleine effervescence boulangiste. La poussée nationaliste ne joue pas seulement sur le plan politique. Elle détermine, dans le monde des lettres, un puissant mouvement. L'esprit décadent, le pessimisme, le cosmopolitisme doivent faire place à un esprit nouveau, national et résolument optimiste. Plus de philosophie allemande, plus de vers chargés d'intuitions obscures, écrits dans une langue désarticulée. Une poésie nette, claire, d'inspiration et d'allures strictement françaises. Verlaine se laissa entraîner par le courant.

Une lettre qu'il écrivit à Cazals au milieu de 1889 permet de bien connaître sa nouvelle poétique. Avant tout, être clair. On peut à la rigueur admettre certain vague, de l'indécis, mais qui « au précis se joint ». Utiles dans toutes les littératures, la clarté et la force du style sont, dans la nôtre, indispensables. Retour franc au classicisme. Les Romantiques n'étaient que des Français de mardi gras.

Ces idées se développaient chez lui à l'heure même où peu à peu Moréas passait du symbolisme à l'École romane. On s'explique donc que, pastichant le style moyenâgeux de son ami, Verlaine ait publié en 1889 des vers en son honneur dans *la Cravache* et *le Chat noir*. Une longue pièce de vers publiée deux ans plus tard dans *la Plume* et reprise, plus complète, dans *Bonheur*, prouve que ces idées retinrent l'attention du poète de 1889 à 1891. Revenu de toutes les affectations, Verlaine fait retour à la vérité, aux sentiments naturels et réels :

> L'art tout d'abord doit être et paraître sincère
> Et clair absolument : c'est la loi nécessaire
> Et dure, n'est-ce pas, les jeunes ! mais la loi.

A ces jeunes, il rappelle qu'il fut l'initiateur des

audaces dont ils se targuent et que, pour sa part, il répudie maintenant :

> Nous, promoteurs de vos, de nos pauvres audaces...

Le temps est passé du scepticisme, des ricanements, des fioritures décadentes. Les Français doivent entendre « le sang qui coule dans (leurs) veines »,

> Flux de verve gauloise et flot d'aplomb romain,
> Avec, puisqu'un peu Franc, de bon limon germain.

Cet « art poétique » nouveau parut le 15 mai 1891. Exactement dans le même temps Charles Maurras publiait sa plaquette fameuse sur Moréas, où l'on pouvait lire : la langue du poète « rêve déjà de renouveler l'antique synthèse romane où la force gauloise et la tradition de Rome la grant vivaient l'une de l'autre ». L'accord est ici littéral.

A cette date pourtant, Verlaine se brouillait avec la jeune école. Pour le banquet du 2 février 1891 en l'honneur de Moréas, il avait été écarté. Il écrivit à son ami : « D'affreux jeunes gens... nous entourent et selon l'usage nous font du tort. » Quelques jours plus tard, il revient à cette idée : « M'est avis que nous ferions mieux d'un peu écarter ces éphèbes d'une grimace mal encourageante. » Le bruit courait qu'il avait tenu des propos outrageants sur Moréas, et ce n'était sans doute pas une calomnie puisqu'à la même date il écrivait à son propos : « Il se fait si ridicule, il charabiate tant et abrutit de pauvres garçons si tellement ! » A partir de ce moment Verlaine rassembla, dans le dossier de ses *Invectives*, un certain nombre d'épigrammes contre son ancien ami : il eut seulement la discrétion, ou la prudence, de ne pas les publier.

Il était revenu à son ancienne solitude. Il savait, depuis 1890, que les jeunes ne le suivaient plus.

A Pierre Louys et à André Gide, qui étaient allés lui rendre visite à Broussais, il disait à propos des nouveaux poètes : « Ils me trouvent arriéré aujourd'hui. »

En 1891 l'incident du banquet Moréas avait confirmé cette impression. Il ne fit rien pour reprendre le contact et quand, dans le cours de cette même année, Jules Huret vint l'interroger pour son enquête fameuse, il marqua fortement son dédain pour l'agitation des écoles poétiques. Il déclara que le mot *décadent* ne voulait rien dire, qu'il ne comprenait pas le mot *symbolisme* et que lorsqu'il souffrait, lorsqu'il jouissait, lorsqu'il pleurait, ce n'était pas là du symbole. Ses contemporains n'étaient à ses yeux que des théoriciens, des auteurs de programmes et de manifestes :

> Toujours parler et ne jamais chanter,
> Grammairien sans cesse à disserter...

écrivait-il en pensant surtout à Ghil et à Moréas.

Il suivait sa voie propre. C'est-à-dire qu'il se dégageait peu à peu des procédés et des artifices de la Décadence et du Symbolisme. A partir de 1892 l'évolution est nette. Et comme toujours, chez ce prétendu instinctif, elle se fait en pleine lucidité. Il écrit alors :

> Je m'étais éventé dans le Pédant,
> Plus que mort, pas né, brume qui se vautre
> Aux fondrières d'un art décadent.

Sa poésie renonçait aux excessives subtilités où plus d'une fois elle s'était égarée. Il avait la bonté de croire que Philomène l'avait aidé dans ce retour de sa poésie à la santé :

> Tu parus ! Je naquis sous ta prunelle,
> Du sang me battit, de la chair me vint.

Pour négliger ces déclarations, il faut n'avoir pas remarqué quelle confirmation leur apporte l'étude des dernières œuvres. Verlaine est las maintenant « des choses tentées dans un jadis indécis », il écoute en lui, restituées, les voix qui lui avaient inspiré ses anciens chefs-d'œuvre :

> Je fais ces vers comme on marche devant soi,
> — Sans muser, sans flâner, sans se distraire aux choses
> De la route.

C'est un Verlaine enfin libéré que la mort. en 1896, a réduit au silence.

Après Sagesse

Encouragé par l'accueil rencontré, Verlaine menait de front, en 1883, plusieurs projets de livres. Il travaillait à ses *Poèmes de Jadis et de Naguère*, aux *Mémoires d'un Veuf*, au recueil d'*Amour*. Il publiait dans les revues d'assez nombreuses pièces. En 1884, il réussit à faire paraître chez Vanier le premier des trois volumes prévus, qu'il intitula, de façon plus brève, *Jadis et Naguère.*

Dans toute cette activité, il convient d'établir des distinctions : Verlaine vide à peu près ses fonds de tiroir. Plus exactement il puise dans le grand coffre noir qu'il traîne avec lui depuis neuf ans dans ses innombrables déplacements et qu'un moment il avait cru perdu. Il donne aux revues, il publie dans *Jadis et Naguère* des vers qui remontent parfois à l'avant-guerre. On trouve dans le nouveau volume des poésies qui avaient paru dans *le Hanneton* en 1867, des débris du volume des *Vaincus* qu'il projetait déjà en 1869 et auquel il était revenu en 1873, des parties de *Cellulairement* non recueillies dans *Sagesse*, quelques *A la manière de...*, et les contes diaboliques composés peut-être à Bruxelles.

Mais à ces reprises d'œuvres anciennes s'ajoutent, parmi les pièces publiées en revue, des créations récentes, et qui bientôt se retrouveront dans *Amour* et dans *Parallèlement*. Ce sont elles qui permettent de discerner dans quelle direction s'oriente alors Verlaine.

Il pourra paraître paradoxal de découvrir en ces pièces, souvent brutales, un souci de spiritualité. Qu'on lise pourtant les plus audacieuses d'entre elles, la série de *Lunes*, ou *Limbes* ou *Lombes* dans *Parallèlement*, ou encore cette cynique *Ballade de la mauvaise réputation*. Le poète n'y cache pas son abjection. Il raille la candeur des *Fêtes Galantes*. Mais dans cette misère brûle une flamme. Sous ces formes pitoyables ou honteuses, nous devinons l'amour. Car celui-ci n'est pas la prudence et la « norme ». Il est l'horreur des mises en scène, des devoirs subis. Et pour cette raison il est pur, au cœur des pires dégradations.

Voilà ce que les jeunes de 1883-1884 pouvaient découvrir dans les plus récentes publications de Verlaine. La forme même de ces pièces en exprimait merveilleusement l'inspiration. Subtile et dense, obscure souvent. Traduisant par des raccourcis audacieux la tension de cette pureté et de ces déchéances. Enveloppée d'un mystère et ne faisant rien pour l'éclairer. S'efforçant par les jeux les plus raffinés de rimes intérieures et d'assonances de donner une traduction directe et suggestive de ces élans, de ces chutes, de ces tâtonnements.

Trop pénétré de la délicieuse harmonie des premiers recueils, le lecteur actuel néglige ces œuvres de la seconde période. Pour en saisir la grandeur, qu'il lise les volumes de la même époque où d'autres s'attachaient eux aussi à exprimer la sensibilité moderne. Laforgue mis à part, que pèsent les élégantes mélancolies des uns, les « névroses » des autres, comparées à l'âpre, profonde, courageuse confidence du « rôdeur vanné »?

La trilogie de la Grâce

S'il est un fait qui interdit de conserver l'image traditionnelle d'un Verlaine emporté à la dérive, s'il existe une preuve de sa lucidité, de l'ampleur et de la fermeté de ses desseins, c'est le projet, formé vers 1885 et finalement réalisé, de deux grands ensembles symétriques, dont l'un devait chanter l'appel de l'amour divin et dont l'autre allait avouer les exigences et les erreurs du désir sensuel. Le premier panneau du diptyque était conçu comme une suite de *Sagesse*. Joints au chef-d'œuvre déjà publié, *Amour* et *Bonheur* forment la trilogie de la Grâce, et Verlaine eut le temps de compléter cet ensemble par les *Liturgies intimes*. Le second panneau comporte cinq recueils publiés du vivant de Verlaine, *Parallèlement*, *Chansons pour Elle*, *Odes en son honneur*, *Élégies*, *Dans les Limbes*, et un sixième qui parut après sa mort, *Chair*. Comme si tant de volumes ne suffisaient pas, Verlaine publiait en marge du grand œuvre des recueils de pièces amicales ou satiriques adressées à ses amis et à ceux qu'il n'aimait pas. *Dédicaces* et *Épigrammes* ont paru avant sa mort. *Invectives* a vu le jour plus tard, par une imprudence de son ami et éditeur Léon Vanier.

Il est de mode de passer rapidement sur cette production des dernières années. Mais peut-être vaut-elle mieux qu'on ne dit. Il est en tout cas légitime de ne pas accepter sans contrôle un jugement d'ensemble qui enveloppe dans un même dédain dix ans de l'œuvre d'un grand poète. L'équité de l'histoire exige qu'on y regarde de plus près.

Depuis 1875, Verlaine rêvait de publier un volume qu'il voulait intituler *Amour*. Il consacra les premiers mois de 1887 à le former et à le terminer. En octobre le projet n'était pas encore réalisé, et le poète en profita pour compléter et corriger ses poèmes. En janvier 1888 il envoya ses derniers vers à Vanier, et le volume parut un peu avant le 26 mars.

Amour devait être, dans son esprit, une sorte de pendant et de prolongement à *Sagesse*. Il devait dire la place que l'amour avait occupée dans sa vie. Cause de ses malheurs, source de sa rédemption, il en était la loi secrète, il en faisait la vraie grandeur. Cette pensée assure l'unité du volume, sous la variété des souvenirs rappelés. Car de même que pour *Sagesse*, Verlaine rassemble ici des pièces qui s'étalent sur plus de dix années. On y trouve, de 1875, des vers qui racontent ses souvenirs de la prison, d'autres qui furent écrits à Bournemouth en 1877. On y trouve surtout l'admirable *Lamento pour Lucien Létinois.*

Il faut plaindre ceux qui resteraient insensibles à cette poésie de la pureté, de la tendresse, de la résignation. Sous la main du Dieu fort et terrible, Verlaine courbe la tête. Il sait qu'il n'a pas, ici-bas, droit au bonheur, que cette joie trouvée pendant quatre ans auprès de Lucien était un don gratuit et révocable. Dieu lui a repris son compagnon. Il s'incline et adore. Il fait plus. Il se demande s'il n'a pas mérité son malheur. Car avait-il le droit d'aller chercher Lucien dans la vie obscure et paisible qu'il menait pour l'entraîner dans ses aventures? Et dans l'excès de son bonheur, n'avait-il pas oublié Celui qui le lui avait donné?

Poésie de l'humble résignation. Mais poésie aussi de la pureté. Tout dans ces beaux poèmes devient louche et pénible si l'on imagine un moment qu'ils reposent sur une imposture. Mais ils portent en eux une évidence qui ne ment pas. S'il est prudent de se méfier des plaidoyers de Verlaine, comment méconnaître cette affirmation, involontaire, cette protestation implicite qui se dégagent de ses vers, l'atmosphère de pureté joyeuse et puérile, l'atmosphère d'Eden où ils baignent?

Verlaine était un aventurier de l'amour : voilà l'idée que sous-entend tout le recueil :

> J'ai la fureur d'aimer. Mon cœur si faible est fou.

Ses malheurs passés sont nés de cette fureur, de cette folie. Lorsque retentit en lui l'appel de l'amour, il part, sans raisonner, sans prévoir, dans l'aventure. Il y eut celle de Rimbaud, et Verlaine la rappelle d'un mot. Il y eut celle de Lucien. Il y en eut, il y en aura d'autres. Faiblesse, dira-t-on. Mais pourquoi ne pas dire plutôt force irrésistible et puissance du désir?

> Je suis dur comme un juif et têtu comme lui.

Amour est un livre dur et fort.

Il n'est pas sans défauts. On y trouve du tarabiscotage, d'excessives subtilités, du pédantisme. Mais que de beautés aussi ! Et quel effort de renouvellement, quelle volonté de trouver un ton, de créer un style, d'atteindre à des effets encore inconnus ! Une figure, dans le passé, inspire Verlaine : celle de Villon. Il veut être le Villon de cette fin de siècle. Et voilà pourquoi il écrit des ballades et pratique un discret archaïsme de la langue. Poète chrétien, homme du Moyen Age égaré dans les tristes temps que nous vivons, il continue de recourir aux allégories. La vie morale s'offre à son esprit sous l'espèce d'entités venues, dirait-on, du *Roman de la Rose*. Il est au pourchas de Bonheur, mais il n'a trouvé que Faute sur sa route; Orgueil a replié ses ailes. Tentative contestable sans doute, comme peut l'être tout retour au passé. Mais elle n'est pas méprisable, car il s'agit moins pour le poète de prolonger une formule morte que de ressusciter une forme ancienne de la beauté.

Plutôt qu'à ces essais si intéressants, on s'arrêtera, dans *Amour*, à ce qu'il offre de franchement, de totalement neuf. C'est d'abord un art de la description très éloigné des procédés de l'impressionnisme. Qu'on lise *Bournemouth*. Cette belle page ne contient pas les notations juxtaposées chères aux Goncourt. Ce qui la domine, c'est l'humble adoration de la beauté. Le paysage n'est plus une multiplicité de couleurs, mais une harmonie proposée au poète, et c'est à cette harmonie qu'il s'attache. D'où la prédominance, dans son tableau, des valeurs essentielles et le soin apporté à fixer leurs rapports. Une citation suffira :

> Il fait un de ces temps ainsi que je les aime,
> Ni brume, ni soleil! le soleil deviné,
> Pressenti, du brouillard mourant dansant à même
> Le ciel très haut qui tourne et fuit, rose de crème;
> L'atmosphère est de perle et la mer d'or fané.

La beauté des *Paysages belges* est peut-être ici dépassée.

On admirera aussi, et surtout dans le *Lamento*, un style, au vrai sens de ce mot, c'est-à-dire l'expression d'une vision intérieure. Pour traduire toute la pureté de son amour pour Lucien, l'irréelle candeur du rêve qu'il a nourri pendant quatre ans, le poète a su trouver les rythmes, les sonorités, les images qui les expriment. Ce n'est pas notre raison qu'il atteint et persuade. C'est notre sensibilité. Elle vibre sur le ton qu'il a voulu, toute pénétrée de cette limpidité fluide des poèmes, toute éclairée de leur lumière.

Amour n'était pas encore paru que déjà Verlaine préparait le troisième volume de sa trilogie, *Bonheur*. Il y travailla tout le mois de mai 1887. Au mois d'août le recueil comprenait déjà une dizaine de pièces. Mais pendant l'automne et l'hiver qui suivirent, l'attention du poète se tourna vers d'autres directions. Il ne songea guère à *Bonheur* durant l'année 1888. De temps à autre seulement, il composait une pièce nouvelle qu'il destinait à grossir le recueil. C'est à la fin de 1889 qu'il y revint, avec la volonté marquée cette fois d'aller vite et jusqu'au bout. Il écrivit cinq nouvelles pièces. Il crut avoir fini. Mais les circonstances retardèrent la publication. Durant l'année 1890, le volume s'accrut encore. Il parut enfin au mois de juin 1891.

Longuement mûri durant quatre ans, *Bonheur* devait être le couronnement de la trilogie chrétienne. L'idée était belle. *Amour* avait exprimé l'élan vers la Charité, dans une âme encore toute vibrante. *Bonheur* allait dire l'apaisement, la sérénité de l'âme dans un corps ruiné. Il devait faire sentir la plénitude qui naît de l'équilibre enfin conquis. Mais l'œuvre manque de la cohésion nécessaire. Trop de pièces s'attardent à insulter Mathilde et à soutenir qu'elle est responsable de la détresse où le poète a sombré. A vrai dire, et du seul point de vue de la poésie, certaines diatribes ont, dans leur injustice, une sorte de grandeur sauvage qui n'est pas sans beauté. Mais ce qui est intolérable, ce sont les pièces où Verlaine se frappe la poitrine, avoue qu'il est un pauvre pécheur, pour, aussitôt après, esquiver les griefs positifs et précis. Ces attitudes de Tartuffe retentissent sur la qualité de la langue, la rendent tâtonnante et louche jusqu'au galimatias.

Mais au moment où l'on songerait à fermer le livre, certaines pièces révèlent la persistance de dons éminents. Aussitôt que Verlaine renonce à plaider et à prêcher, lorsqu'il rappelle ses chutes et ses efforts de redressement, lorsqu'il évoque en quelques strophes aériennes les nuits de Noël et les chaudes veillées de Christmas, nous retrouvons l'auteur de *Sagesse.* Il a des cris bouleversants de remords et de désespoir, qui n'ont d'équivalent, pour l'authenticité, que dans certains de ces *Psaumes* dont il a compris mieux que personne le pathétique. Il prend, pour décrire l'autel dénudé du Vendredi saint, ou la mélancolie des soirs de Toussaint, ou les modestes cérémonies d'une église de campagne, un ton où la bonhomie, la finesse, l'émotion se combinent de façon charmante et forte. Ces poèmes nous permettent de comprendre quel sens offrait pour Verlaine la vie chrétienne : une existence de sagesse et de pureté, marquée par la beauté des vieux cultes, et jalonnée par des fêtes qui en assuraient le rythme et lui donnaient un sens.

Recueil inégal par conséquent. Mais dans l'ensemble, un grand livre. Dans les moins bons poèmes, le mal ne vient pas de l'insuffisance du talent, mais d'un effort par delà les limites de la poésie. jusqu'à un excès de tension et de subtilité. Verlaine a deux fois parlé de *Bonheur*, à W. G. C. Byvanck en 1891, et une autre fois à André Gide et Pierre Louys qui l'étaient venus visiter. Devant ces trois hommes il a employé, pour définir son recueil, le même mot : c'est un livre dur. « Ce n'est pas un livre facile à lire, dit-il à W. G. C. Byvanck. On sent que la vie est passée par là. » Et plus fortement, à Gide et Louys : « *Bonheur* sera un livre dur. C'est un bonheur qui ne paraîtra pas heureux. » Voilà ce que le poète voulait nous faire sentir dans son volume. Voilà ce que, dans une très large mesure, il a su réaliser.

Il s'en fallut de peu que pour l'édition de *Bonheur* Verlaine abandonnât son ami Léon Vanier. En 1888 Huysmans et Léon Bloy l'avaient mis en rapport avec Albert Savine. Le poète signa le 15 septembre 1888 un contrat qui l'obligeait à publier *Bonheur* chez ce nouvel éditeur. Il se hâta de toucher des avances sur ses futurs droits. Mais en 1891 Léon Vanier sut lui prouver qu'il n'était pas libre de se séparer de lui; les deux éditeurs se mirent d'accord, Albert Savine rentra dans ses débours et ce fut Léon Vanier qui mit son nom sur le volume de *Bonheur*.

Le mince volume de *Liturgies intimes* a paru au mois de mars 1892. Il ne se situe pas sur le même plan que la grande trilogie chrétienne. C'est une œuvre particulière dans son intention et destinée à un public particulier. Verlaine était en relations amicales avec Emmanuel Signoret. Celui-ci avait entrepris de faire paraître *le Saint-Graal*, revue jeune-catholique. Il demanda à Verlaine d'appuyer son effort. C'est pour le public du *Saint-Graal* que le recueil a été formé. Il le fut d'ailleurs avec des pièces de dates diverses. L'une d'elles remonte même à 1878, et l'on a vu plus haut que dans *Bonheur* déjà Verlaine s'était attaché à célébrer certaines beautés de la liturgie catholique.

L'impression que donne ce volume est étrange. Il contient certains poèmes qui sont parmi les plus détestables de l'auteur. Du galimatias. Des traductions littérales des textes liturgiques aboutissant à des résultats ridicules. L'un des plus curieux est sans doute :

> Il engendra, ne fit pas Jésus-Christ

qui traduit de façon à la fois exacte et burlesque le *Genitum, non factum* du Symbole de Nicée. Le tort de Verlaine, ici comme ailleurs, mais ici plus qu'ailleurs, c'est de céder à son vieux penchant vers le didactisme. On se convaincra de son erreur si l'on compare deux pièces des *Liturgies*. L'une, où il expose abstraitement une idée :

> Sécheresse maligne et coupable langueur,
> Il n'est remède encore à vos tristesses noires
> Que telles dévotions surérogatoires
> Comme des mois de Marie et du Sacré-Cœur.

L'autre, où le poète laisse affluer des images chargées de signification :

> L'agneau cherche l'amère bruyère.
> C'est le sel et non le sucre qu'il préfère,
> Son pas fait le bruit d'une averse sur la poussière.

Deux « systèmes » : deux résultats!

La poésie ne trahit donc pas Verlaine. *Liturgies intimes* renferme de fort belles pièces, *Rois* par exemple, et plus encore *Juin*. Le poème sur l'office de Complies est d'une beauté secrète que percevront ceux qui savent les richesses de cette liturgie du soir. Qui sait même s'il n'y a pas dans cet humble recueil une sorte de message à la poésie de l'avenir? *Vêpres rustiques* annonce de façon étonnamment précise par son style, ses images, son rythme, l'œuvre chrétienne de Francis Jammes. *Circoncision* n'est pas un bon poème, mais ce vers de treize syllabes aux insaisissables césures invite à se demander quelle distance le sépare du verset claudélien. Plusieurs fois Verlaine tire du distique des effets puissants de litanie insistante et de supplication brisée.

Sur ces quatre recueils d'inspiration religieuse pèse la même hypothèque que sur *Sagesse*. Avec des arguments plus forts. Beaucoup ne veulent pas croire à la sincérité de ce poète chrétien au comportement scandaleux. Ceux mêmes qui acceptent d'admettre que l'auteur de *Sagesse* était encore un croyant lorsqu'il publia son chef-d'œuvre, ne se décident pas à penser qu'il l'était encore au temps d'*Amour*, de *Bonheur* et de *Liturgies intimes*.

Les textes les plus sûrs ne laissent pourtant aucun doute. Il reste alors un véritable chrétien. En 1887, en 1889, ses lettres nous apprennent qu'il assiste régulièrement à la messe et aux vêpres du dimanche, et que chaque matin comme chaque soir il s'agenouille au pied de son lit pour réciter sa prière. Il est vrai qu'il a des périodes de découragement. Il dit à Byvanck en 1891 : « Il y a plus d'un an que je n'ose plus aller recevoir l'hostie. » Mais qui pourrait confondre ce sentiment de son indignité avec l'indifférence ou le scepticisme?

Il n'est pas seulement pratiquant. Il est croyant,

Collection Matarasso

Cet homme au corps usé et au costume râpé avait, dans sa déchéance, la dignité d'un prince ou d'un titan foudroyé... (p. 69)

et d'une stricte orthodoxie. Il croit aux « fulgurantes clartés » du catholicisme, aux « intéressantes réfutations » que l'apologétique oppose à la science. Il s'est construit une sorte de métaphysique religieuse, une vue d'ensemble sur le monde et sur l'homme toute inspirée par l'esprit religieux. Une présence de Dieu presque charnelle et sensible, et qui se réalise souverainement dans l'Eucharistie. La vie de l'homme soulevée par l'amour, jetée par lui dans l'aventure, courant les risques du péché et de la damnation, mais sauvée par la Charité. La liturgie catholique, traduction de cette métaphysique religieuse, et qui en exprime la poésie pathétique et somptueuse. En fin de compte, l'anéantissement du créé dans le divin. Verlaine a un mot d'une étrange profondeur, dans sa conversation avec André Gide et Pierre Louys. La leçon de *Bonheur*, dit-il, c'est qu'il n'y a qu'un seul bonheur : savoir que Dieu existe. Si l'on ne craignait d'être pédant, l'on dirait que Verlaine est allé jusqu'à ce théocentrisme où l'abbé Bremond voyait l'essence authentique du sentiment religieux.

Il faudra la rencontre d'Eugénie Krantz en 1891, le réveil des folies charnelles, la plongée dans les bas-fonds pour obscurcir, dans l'âme de Verlaine, une lumière qui, depuis *Sagesse*, et malgré les apparences, n'avait pas cessé de l'éclairer.

Les poésies de l'amour charnel

Au mois d'octobre 1885, Verlaine avait annoncé que la série d'*Amour* et de *Bonheur* serait doublée d'une autre et qu'il préparait des « volumes pécheurs ». Ils devaient porter un titre collectif, *Parallèlement*. Il se décida ensuite à donner ce titre au seul premier volume de cette série. Le recueil, longuement préparé, parut au mois de juillet 1889.

L'auteur de *Sagesse* s'amusait donc à célébrer de la

façon la plus crue les plaisirs de la chair. *Parallèlement* est un livre scandaleux. Il rassemble des pièces anciennes et récentes qui ont, à peu d'exceptions près, ce trait commun de parler sans pudeur de l'amour le plus charnel. Vers sur Mathilde, vers où résurgit l'image lointaine de Rimbaud, vers inspirés par les crapuleuses débauches de Coulommes, vers enfin où sont chantées les filles dont Verlaine a reçu les faciles faveurs.

Mais combien ce recueil est savoureux! Plutôt qu'aux glaciales obscénités du XVIIIe siècle, il fait penser aux *Folâtries* de Ronsard et aux recueils libres du temps de Théophile. Il y aurait hypocrisie ou aveuglement à nier la fougue, la verve de *Filles*, et du même coup la valeur poétique de ces très belles pièces.

Mais il y a plus important à noter. C'est qu'entre *Amour* et *Parallèlement*, la distance est moins grande qu'on ne penserait d'abord. Verlaine a cru amusant de présenter ces deux recueils comme *parallèles*, et le succès qu'a fait le public à son titre prouve qu'il a eu raison. L'idée n'en est pas moins superficielle. S'il est vrai que sa vie se développe alors sur deux plans parallèles, c'est seulement dans la région des attitudes adoptées. Le fond est commun. Il est cet élan obscur et fort, il est cette volonté de se faire tout accueil, tout amour. Et Verlaine le sait bien. Vieux faune aux aguets, il va de par le monde, flairant, tendu vers la beauté qui s'offre, avide de mordre à tous les fruits. Sans remords en cela, car il ne saurait imaginer que la joie s'offre à lui sans qu'il ait le droit de l'accueillir. Mais prêt aussi à des élans plus hauts, prêt à transir d'amour devant l'image du Christ ou celle de la Vierge qu'il entrevoit au plus profond de lui-même, tout ouvert à ce suprême amour qu'il appelle Dieu.

Verlaine écrivait un jour à Félicien-Rops : *Parallèle-*

ment est un livre « plus *amer* et *dur* que voluptueux ». Il est en effet bien moins instinctif que volontaire, et traduit moins une complaisance dans la faute qu'une acceptation de l'aventure, avec ses misères et ses catastrophes prévues. Admirateur de Barbey d'Aurevilly, Verlaine déteste le protestantisme, le jansénisme, toutes les attitudes qui, sous prétexte de moralité, entourent la vie humaine de barrières et de garde-fous. Il dirait volontiers, comme l'auteur des *Prophètes du passé*, que son catholicisme, large, compréhensif, immense, « embrasse la nature humaine tout entière », et qu'il accepte de descendre jusqu'au double cloaque de l'homme, jusqu'à son cœur, jusqu'à ses reins!

Parallèlement était un recueil très libre, mais n'allait pas jusqu'à l'obscénité que punit la loi. Les pièces plus audacieuses, Verlaine les réunit en un petit volume qui parut sous le manteau en 1890. Il porte le titre de *Femmes*. D'une lettre que n'a pas recueillie la *Correspondance* il ressort que le poète en avait négocié l'édition avec Kistemackers, le libraire belge bien connu. Les bibliographes considèrent comme une vérité admise que les pièces de *Femmes* ont été composées bien des années avant 1890. On veut bien les croire. Mais les seules pièces datées le sont de 1889-1890, et la ressemblance est grande entre les vers du recueil et ceux de date récente que contient *Parallèlement*.

Un peu plus tard, en 1892, Verlaine prépara avec Léon Vanier un autre recueil, parallèle au précédent, et dont le titre dit assez le sujet, *Hombres*. Le projet ne se réalisa pas de son vivant. Quelque conclusion qu'il convienne d'en tirer sur la vie de Verlaine en 1891, c'est de cette année-là que sont datées la plupart des pièces de cet obscène recueil.

Il venait pourtant alors de se lier et presque de se mettre en ménage avec Eugénie Krantz, et cette liaison lui inspirait les *Chansons pour elle*. Elles parurent à la fin de 1891 et l'on peut croire que les pièces qui composent le recueil avaient été écrites au cours des mois qui précédèrent. Eugénie a donc inspiré, sinon la totalité, du moins la plus grande partie du volume. Voilà probablement qui explique l'impudeur de ces vers, où s'avoue sans honte la déchéance. Verlaine ne se fait pas d'illusions sur cette femme. Elle est criarde, menteuse, et s'oublie parfois jusqu'à le frapper. Mais il pardonne tout parce qu'il est vieux, parce qu'il a peur du froid et de la solitude, parce qu'Eugénie lui donne certaines joies, les seules qui restent à sa portée. Dans l'homme écrasé par la misère, la vie revêt les formes humbles de l'animalité. Elle ignore, comme un luxe, les petits scrupules et les gentilles pudeurs. Verlaine a laissé tomber ce manteau d'hypocrisie que son dénûment ne tolère plus. Si bien, dit-il,

> Si bien qu'il est très bien de faire comme font
> Les bonnes bêtes de la terre.

Il faudrait être fermé au sentiment de certains affaissements pour s'indigner ou pour mépriser seulement. Mais si l'on ne veut voir dans les *Chansons* que leur valeur poétique, comment ne pas avouer que des états d'âme aussi sommaires, que cette abjection sans sursauts et sans honte ne peuvent que difficilement devenir objet de poésie? Lorsqu'on a reconnu dans quelques rares pièces un peu, très peu de cette verve qui animait, dans *Parallèlement*, la savoureuse série de *Filles*, lorsqu'on a, de l'ensemble du volume, tiré une impression pitoyable de misère physique et morale, que trouverait-on de plus à dire?

Peut-être pourtant faudrait-il observer que certains rythmes, que certains retours de refrains, déplaisants ou ridicules à lire, se justifient moins mal si l'on se rappelle qu'il s'agit ici de chansons. On serait moins sévère pour ce pauvre volume si l'on voulait bien admettre que Verlaine a rêvé d'attirer l'attention des musiciens et qu'il s'est mis volontairement au niveau de la chanson de café-concert. D'où ces formes trop faciles, d'où ces mignardises de ton, tout à fait étrangères à son génie. Lorsqu'il écrivait :

> Es-tu brune ou blonde?
> Sont-ils noirs ou bleus,
> Tes yeux?

il avait une triste excuse : c'est qu'il composait les vers d'une « chanson ».

Les *Chansons pour elle* n'étaient pas encore réunies en volume que Verlaine écrivait les *Odes en son honneur*. Le 12 novembre 1891 il annonçait à Vanier qu'elles « marchaient » et vers la fin de décembre, il avait déjà réuni un ensemble de six cents vers. Il les regardait dès lors comme prêtes pour l'impression. Mais selon son habitude il continua de les « gonfler » au cours de l'année suivante. C'est seulement au mois de mai 1893 qu'elles parurent en librairie.

On admet généralement qu'elles ont été écrites pour Eugénie. Mais pendant la période où elles furent composées, Verlaine était, nous l'avons vu, partagé entre ses « femmes ». Certaines pièces semblent en effet s'expliquer mieux, adressées à Philomène plutôt qu'à sa rivale. L'allusion à une sainte, vierge et martyre, fait penser à sainte Philomène, et pour une seule fois que la destinatrice est appelée par son nom, c'est celui de Philomène que prononce le poète.

Ne confondons pas les *Odes en son honneur* avec *Chansons pour elle*. Faut-il croire que la verve du poète se ranimait? Faut-il penser que le sujet l'inspira de façon plus heureuse? A coup sûr les *Odes* sont très supérieures aux *Chansons*. Certaines pièces chantent en termes crus les beautés de la femme. Mais elles le font avec plus de chaleur et de verve, avec un accent qui rappelle les bonnes pièces de *Parallèlement*.

Elles ne donnent d'ailleurs pas le ton général du recueil. Plus souvent, Verlaine évoque le passé douloureux de celle qui associe ses misères à la sienne. Il n'oublie pas qu'elle eut jadis sa part de bonheur et que sa déchéance présente en est plus pénible à supporter. Mais elle est courageuse et gaie. Sa vie fut une aventure. Elle en a couru les risques avec une belle imprudence; elle a échoué. La société la méprise, comme elle méprise Verlaine. Celui-ci sent en lui, pour cette amazone blessée, des sentiments de pitié et de respect. Cette note très humaine suffirait à donner aux *Odes* une valeur que les *Chansons* n'avaient pas.

Elles ont un autre mérite, plus proprement poétique. Qu'on y regarde bien. Elles ont une fermeté du trait, la phrase y montre une rapidité du dessin qui sont tout à fait remarquables, et que l'on mettrait plus haut si elles ne souffraient de la comparaison avec les chefs-d'œuvre antérieurs. Mais elles sont du même ordre. Le vers est toujours, ou mieux il est de nouveau « la chose envolée », toute vibration, tout élan. Parfois, ce n'est que pour exprimer des réalités triviales, et il arrive que celles-ci restent si opaques, si pesantes que le jet alors retombe. Mais n'oublions pas que toute poésie réside, non pas dans la nature des choses vues, mais dans une qualité de la vision. Celle de Verlaine a retrouvé, plus d'une fois, dans les *Odes*, l'adorable fraîcheur de jadis. Le poète le savait bien. Il jugeait exactement la valeur de ses livres. Les *Odes*, disait-il à Vanier, sont à la fois plus corsées et plus sérieuses, mais elles sont surtout « plus écrites » que les *Chansons*.

En même temps que les *Odes*, au mois de mai 1893, Verlaine fit paraître un volume d'*Élégies*. C'était un vieux projet qu'il réalisait. En octobre 1887 il avait demandé à Jules Tellier un Catulle, un Tibulle, un

Properce latin et français, et confiait à certains le rêve qu'il nourrissait depuis longtemps de traduire Ovide en français. Les *Élégies* sont nées de cette ancienne préoccupation, et rien n'est plus superficiel que d'y voir seulement une entreprise destinée à rapporter au poète « quelques argents ». Il les écrivit dans la seconde moitié de 1892, et quelques-unes d'entre elles parurent en septembre et octobre dans *l'Écho de Paris*.

Comme font, hélas, presque tous les recueils de cette période, les *Élégies* présentent des pièces de valeur très inégale. Ce n'est pas tout à fait que Verlaine s'abandonne à la négligence : ses scrupules d'artiste n'ont en principe rien perdu de leur sévérité. Ce n'est pas exactement que l'inspiration s'épuise : il est encore plein de verve, riche d'idées et d'images. Mais il lui arrive trop souvent de prendre cette attitude de « pitre » qu'il a lui-même avouée, et dans ces moments-là, ses ricanements, son étalage de bassesse, sa complaisance dans l'ignoble, retentissent sur son art, nouent sa phrase, troublent la pureté de sa langue. Mais si l'on met à part les quelques *Élégies* où il cède à cette tentation, le reste du recueil est d'une authentique et triste beauté. Comment peut-on parler ici de Coppée? Sous la simplicité du ton, voulue par le poète parce qu'il la juge essentielle à l'élégie tibullienne, il faut savoir admirer le rythme puissant, la variété des coupes, l'impression de plénitude que donne bien souvent le vers. Ce que tant de critiques n'acceptent pas, ce n'est pas, comme ils pensent, la signification poétique du recueil et sa valeur d'art, c'est son climat. Cette atmosphère pitoyable, ces aveux de faiblesse, ces récits de scènes domestiques, de crises jalouses, de honteuses réconciliations, tout cela, à leur insu sans doute, leur masque la science exquise de la langue et du vers, la persistance chez le poète de cette sensibilité qu'ils admirent dans les grands recueils. Ils ne voient pas ce qu'a de courageux, de hardi, la tentative du poète, cet effort pour présenter une destinée d'où furent arrachées l'une après l'autre toutes les délicatesses, toutes les douceurs aussi dont la culture a recouvert et revêtu les gestes simples et brutaux de l'homme primitif. Ils n'entendent pas ce chant de tristesse et cet appel qui montent des profondeurs de cette misère, cette nostalgie d'un monde de paix, de dignité conquise et de pureté.

Au mois d'octobre 1892, Verlaine est à Broussais. Il considère les *Élégies* comme achevées. Il entreprend alors un nouveau recueil qu'il intitule *Dans les Limbes.* Une lettre à Léon Vanier prouve qu'il avait dès lors une vue nette de ce qu'il voulait faire : décrire son état présent de malade hospitalisé, ses idées devenues plus sérieuses, ses espoirs de redressement. En décembre 1892, il envoya les cent premiers vers à son éditeur, et le 13 janvier 1893 il considérait le volume comme achevé avec ses quatre cent cinquante vers.

Plusieurs traits fixent la physionomie de ce recueil. Il n'est pas seulement plus sérieux et plus chaste. Il est plus chrétien que les précédents. On devine que la femme qui vient le visiter à l'hôpital et pour laquelle il écrit ces vers, ce n'est plus Eugénie la païenne, et que Philomène encourage le poète dans ses sentiments religieux. C'est là ce qui explique sans doute la dignité plus grande du recueil. L'amour de Verlaine pour cette fille n'est pas exempt de misères. Elle est, elle aussi, parfois violente et querelleuse. Mais lorsqu'elle est de bonne humeur, il y a chez elle une gaîté sur un fond de mélancolie, il y a des délicatesses qui sauvent leur liaison de l'ignominie. Pour le pauvre vieux qu'elle appelle l'Infernal, elle sait être bonne et charmante. Ses visites apportent au malade la joie, l'espoir d'un avenir meilleur. Elles sont le thème principal du volume.

Le 3 juillet 1893, de nouveau à Broussais, Verlaine mit une préface à son livre. Il y annonçait la fin de cette série dont il était las. Il faisait observer le ton nouveau de ces pièces, l'apaisement du soir qui les inspirait, l'annonce d'un grand changement en lui, qui s'y pouvait discerner. Puis le manuscrit resta presque une année entière dans ses papiers. Le volume ne parut qu'au mois de mai 1894.

A cette époque déjà Verlaine avait en train d'autres pièces qui revenaient franchement aux sensualités des *Chansons*. Elles ont paru après la mort du poète en un recueil qui porte le titre de *Chair*. Puis entre juillet et novembre 1893, il écrivit les pièces qui forment aujourd'hui le *Livre posthume*. Il espérait le faire paraître, malgré le titre, avant sa mort. A un moment, il en prévit la publication pour le mois d'octobre 1895. Il mourut sans que le projet fût réalisé. Le *Livre posthume* n'est dans son état actuel qu'une partie d'une œuvre bien plus vaste et dont les origines restent difficiles à préciser. Mais ce qui importe, c'est moins de suivre les tâtonnements successifs du poète, que de retrouver, dans l'œuvre telle qu'elle s'offre à nous, l'effort de Verlaine dans cette seconde moitié de 1893, sa volonté de redressement.

Car les pièces du *Livre posthume* sont presque toutes très belles et émouvantes. L'amour qui s'y exprime n'a plus la sensualité des *Chansons*. Il est l'union de deux vies, associées pour le meilleur et pour le pire, ennoblies par la pensée d'une durée qui s'étendra au-delà du tombeau. Revenu à la vie après la dure épreuve de juillet, le poète parle comme un homme qui a vu de près la mort et qui ne l'oublie pas. D'où une gravité, une profondeur de résonance inattendues. Et du même coup, des formes non pas moins raffinées, mais plus franches, la disparition de ces balbutiements parfois intolérables qui encombraient les volumes de la période précédente.

A considérer dans leur ensemble et leur continuité les recueils d'amour divin et les poèmes d'amour charnel, deux observations s'imposent. Nous nous apercevons d'abord que les deux séries prétendues parallèles n'ont pas été réalisées dans le même temps. Lorsqu'au début de 1892 les *Liturgies intimes* viennent clore l'ensemble des poèmes religieux, Verlaine n'a encore publié que *Parallèlement* et *Chansons pour elle*. Il travaillait aux *Odes en son honneur* qui paraîtront seulement en 1893. Les *Élégies*, *Dans les Limbes*, le *Livre posthume*, *Chair* restent à écrire et à publier. On voit à quel point l'idée d'une composition parallèle des deux séries appelle des précisions et des réserves.

Nous constatons d'autre part que loin de répondre à l'image trop simple d'une déchéance totale et définitive, ces recueils de la dernière période traduisent une évolution dans les conceptions poétiques de Verlaine et marquent, à partir de 1892, une remontée certaine dans la valeur de ses œuvres. On a vu plus haut qu'en 1892 Verlaine s'arrache « aux frontières d'un art décadent », se déclare las « des choses tentées dans un jadis indécis », proclame sa joie de renaître, de sortir des brumes, de réaliser des œuvres où coule un sang clair et chaud. Qu'on lise *Chair*, qu'on lise le *Livre posthume* et l'on se convaincra de ce retour à la santé, dans les années mêmes où la tradition ne veut voir que les dernières étapes de la déchéance.

Autres recueils

Au mois de novembre 1888, Verlaine songea à retirer de *Parallèlement* un petit nombre de pièces qu'il voulait grouper sous un titre nouveau, *les Amis*, en souvenir des *Amies* d'autrefois, mais avec une signification morale toute différente. Au mois de juin 1889, le projet se précisa dans son esprit, mais il hésitait alors entre deux titres, *les Amis* et *Dédicaces*.

Il finit pas se décider pour le second. Au mois d'octobre, il remit le manuscrit à son ami Léon Deschamps, le directeur de *la Plume*, et l'œuvre parut en volume au mois de mars 1890. Elle ne comprenait alors que quarante et une pièces. Quatre ans plus tard, une seconde édition en fut donnée, beaucoup plus considérable puisqu'elle en présentait cent neuf.

Volume éblouissant, même en ses parties contestables. Il offre une variété de ton, il témoigne d'une souplesse de talent qui prouvent assez l'imposture d'une prétendue stérilité chez le poète vieilli. On a dit que plusieurs pièces n'ont été écrites que pour remercier certaines générosités : nous le croirons avec tristesse, mais sans difficulté. Certaines *Dédicaces* insignifiantes ne s'expliquent guère autrement. D'autres, à première vue étrangement maladroites, sont en réalité des pastiches, où le poète s'amuse à prendre le style, à reproduire les manies des personnages à qui s'adressent ses vers. Car dans ce riche volume, Verlaine adopte tous les tons. On y trouve de la malice, de la bonhomie, de la tristesse. Le poète joue de tous les modes : Villon, Corneille, les modernes. Parfois jaillissent des vers parmi les plus beaux qu'il ait écrits, ceux que lui inspirèrent la mort de Villiers et celle de Rimbaud. Tous les sentiments pêle-mêle; parfois une sensualité qui apparente certaines pièces aux *Chansons pour elle*, et parfois la pureté de certaines amitiés graves et religieuses. Les *Dédicaces* sont à la fois un document de grand prix sur cette âme si riche, si déchirée, si contraire à soi-même, et une grande œuvre d'art.

La préface de *Chair*, parue au mois de mai 1894 sous la date du 3 juillet 1873, annonçait une transformation profonde dans l'âme de Verlaine. « Apaisement du soir », écrivait-il alors. C'est la même pensée qui s'est réalisée, en 1894, dans le charmant volume d'*Épigrammes*.

Il convient d'en voir nettement la signification. C'est un Verlaine nouveau qui s'annonce. Les passions maintenant se taisent en lui. Les ferveurs mystiques elles-mêmes s'apaisent. Reste-t-il croyant? Oui, mais d'une foi qui ne ressemble plus guère aux fortes convictions de jadis. Une sagesse plutôt, un sentiment très doux, au milieu des doutes maintenant revenus. Les « extrêmes opinions » appartiennent au passé. Même évolution des idées poétiques. Retour à la vieille doctrine de l'Art. Il est un jeu, et Verlaine y revient. Il sera le bon chanoine du Parnasse.

Retour en arrière, dira-t-on, et qui annonce l'épuisement définitif. Mais pourquoi ne pas dire plutôt : sérénité, largeur nouvelle des vues, lucidité d'un esprit apaisé et purifié? Il regarde avec indulgence l'agitation des jeunes. Il comprend leurs audaces. Il ne s'effraie pas de les voir s'enflammer pour Ibsen ou pour Schopenhauer. Mais il reste à l'écart. Ses *Épigrammes* ne se contentent pas d'invoquer l'ancienne poésie. Elles rappellent très nettement l'art lumineux et pur des *Fêtes Galantes.* Deux vers disent les intentions du poète, le climat de son génie, l'impression que donne le nouveau recueil :

> Il ne me faut plus qu'un air de flûte
> Très lointain en des couchants éteints...

Voilà Verlaine en 1894.

Les *Épigrammes* parurent, annoncées par le *Journal de la Librairie*, le 15 décembre 1894, mais on dit que le volume était en vente dès le mois d'août précédent. Ce fut le dernier ouvrage que Verlaine fit paraître. Il avait alors en chantier deux autres recueils, *Chair* et *Varia.* Il mourut avant de les avoir publiés.

On a vu ce qu'était *Chair* et qu'il était formé surtout de pièces d'amour sensuel écrites en 1894. Le recueil de *Varia* était d'intentions plus vastes. Le poète y songeait depuis 1893, et l'on peut penser qu'il allait y rassembler des pièces nombreuses de toutes les périodes de sa vie. Tel qu'il est présenté par son premier éditeur, il contient surtout des vers de 1893 et 1894 : souvenir des voyages d'Angleterre et de Hollande, souvenir de la maladie de juillet 1893, souvenirs des hôpitaux, de la misère et des querelles dans les garnis où le pauvre vieil homme affrontait ses furies. Mais à travers tout cela une forme qui s'allège, se redresse, se purifie. Une poésie qui va sortir, ou qui décidément sort des balbutiements de la mauvaise époque. Un poème comme *Ex imo*, inspiré par la crise de juillet 1893 et le réveil des anciennes ferveurs, ne serait pas indigne de *Sagesse :*

> O Jésus, vous m'avez puni moralement
> Quand j'étais digne encor d'une noble souffrance.
> Maintenant que mes torts ont dépassé l'outrance,
> O Jésus, vous me punissez physiquement.

L'impression qui se dégage des poèmes de *Varia* confirme et renforce celle que donnaient les *Épigrammes* et le *Livre posthume.*

Dix-huit mois après la mort de Verlaine parut, chez Léon Vanier, un volume intitulé *Invectives.* Les âmes délicates ont déploré cette publication, ont prétendu que Verlaine l'aurait désapprouvée, et ont accusé l'éditeur d'être indiscret et cupide. Mais il n'est pas douteux que Verlaine prévoyait et désirait que son livre parût. Il y travaillait déjà en 1891. Il en avait préparé les éléments et avait déjà touché quelque argent à valoir sur ses droits.

Comme on pouvait s'y attendre, ce volume contient du meilleur et du pire, des pièces excellentes de verve ou superbes d'indignation, et d'autres pitoyables de platitude ou de maladresse. Mais comment peut-on dire que les *Invectives* sont un livre sans intérêt? Les antipathies, les rancunes, les indignations du poète nous aident à connaître tout un aspect de son caractère, la franchise brutale de ses attitudes, sa fierté d'homme ruiné et toujours debout, son mépris des fausses valeurs. Elles nous permettent aussi de mieux comprendre la position qu'il avait prise dans les querelles littéraires de son temps, parmi les Symbolistes, Romans et Décadents qui se déchiraient sous ses yeux amusés. Quoi que certains aient pensé, il manquerait quelque chose à notre connaissance de l'homme et de son talent si nous n'avions pas *Invectives*.

Les œuvres en prose

Durant toute sa vie d'écrivain, Verlaine a rêvé de composer des ouvrages de prose, romans, nouvelles, études critiques. Il a même songé à faire jouer des pièces de théâtre. Mais de tant de projets, il en est peu qui furent réalisés.

Avant 1870, Verlaine a donné, dans plusieurs revues, sur Barbey d'Aurevilly, sur Baudelaire, sur Coppée, des études qui restent, aujourd'hui, importantes. On le sent nourri des admirables proses des *Petits poèmes* et de *l'Art romantique*. Il s'est assimilé la doctrine de l'homme qui est alors son maître. Il lui a même pris le ton, le mouvement, le rythme de ses phrases. Lui qui va bientôt se créer une prose savoureuse et raffinée, mais détendue jusqu'à en paraître lâchée, il s'efforce à la densité, à l'allure hautaine et coupante de son modèle.

En même temps il publie de courts poèmes en prose, *Corbillard*, *Mal'aria*, *Nevermore* et quelques autres qu'il reprendra plus tard dans les *Mémoires d'un veuf*. Il se risque même, dans *le Hanneton*, en 1867, à écrire un conte fantastique, *le Poteau*. On perçoit dans ces proses l'humour macabre, l'ironique mélancolie dont les *Poèmes Saturniens* portent le reflet. Il a sans doute dans l'esprit les *Petits Poèmes en prose*.

Mais si l'on veut comprendre à quel point sa sensibilité différait de celle de Baudelaire, on ira lire *Les Fleurs artificielles* parues dans *la Parodie* en janvier 1870, Thème éminemment baudelairien; goût de l'artificiel. du rare, de l'étrange. Mais qu'en reste-t-il chez Verlaine, que de fines considérations sur les humbles fleurs d'étoffe qui ornent le chapeau des gentilles ouvrières et des vieilles demoiselles au cœur froissé!

De l'époque qui suivit la conversion, il nous est resté un écrit posthume, le *Voyage en France par un Français*. Composé sous sa forme actuelle en 1880, il resta longtemps inédit parce que, nous dit-on, aucun éditeur ne prit sur lui de publier cette furieuse diatribe contre l'esprit moderne et contre la République. Verlaine se révèle, à cette date, disciple de Joseph de Maistre, de Barbey d'Aurevilly et probablement de Veuillot. Il leur emprunte ces vues générales sur l'histoire de France qui depuis les *Soirées de Saint-Pétersbourg* constituent l'essentiel de la tradition réactionnaire. On ne s'expliquerait pas autrement ces propos contre les Oratoriens, cette folle diatribe contre Port-Royal où le néophyte rend Pascal et le doux Nicole responsables de la Terreur, cette histoire de l'Église de France envisagée du seul point de vue de la Compagnie de Jésus. De même les jugements de Verlaine sur la Restauration, son idée d'une décadence irrémédiable de notre pays se retrouvent exactement dans les *Prophètes du passé* de Barbey, et l'on serait en droit d'écrire que Verlaine a puisé ses idées dans ce livre si les mêmes diatribes ne faisaient le fond de toute une tradition. Du moins est-il maintenant connu que le livre de Barbey figurait dans la petite bibliothèque du poète à Juniville.

Ce que peut-être on trouve de plus personnel dans ce pamphlet, c'est la chimère de nostalgie où le poète se complaît. Il imagine un Ancien Régime, fidèle héritier du Moyen Age chevaleresque, courtois, héroïque, et comme tous les rêveurs du passé, il s'attache à cette illusion par le dégoût de la réalité contemporaine. La France de 1880, c'est à ses yeux le règne de la médiocrité lâche et cupide, le règne de l'argent. Ce qu'il méprise, ce n'est pas tellement le peuple, encore qu'il le juge corrompu et avili, c'est la république opportuniste, le parlementarisme, la vie publique asservie aux intérêts particuliers. Les historiens ont pris l'habitude de prendre à la légère ces pages politiques de Verlaine. Mais celui-ci développe des vues qui ont, quelques années plus tard, révélé leur vraie signification dans la crise boulangiste. Pour le moment, le nouveau fermier de Juniville se borne à appeler paisiblement de ses vœux la guerre civile. « Si une généreuse insurrection qu'il faut espérer et presque attendre de l'Esprit-Saint du Dieu des armées venait à se produire contre l'Immondice actuelle... », a-t-il écrit alors. Certaines violences, dans les derniers poèmes de *Sagesse*, dans *Bonheur*, dans *Invectives* ne s'éclairent bien qu'à la lumière de ce *Voyage*.

Lorsqu'il revint à Paris en 1882, c'est une œuvre de prose qui, tout autant que ses plus beaux vers, attira sur Verlaine l'attention des jeunes littérateurs. A partir du 24 août 1883, *Lutèce* commença de faire paraître les *Poètes maudits*, une série d'études sur Tristan Corbière, Rimbaud et Mallarmé. Leur influence a dit Laurent Tailhade, s'épanouit en traînée de poudre, éclata comme un feu d'artifice, et du soir au matin métamorphosa la chose littéraire. A les lire aujourd'hui, on s'étonne du retentissement qu'elles eurent à l'époque. C'est qu'on ne comprend pas le message qu'elles apportaient à la nouvelle génération. A tous ceux qui prétendaient échapper à l'académisme méprisé, à tous ceux qui ne se satisfaisaient pas non plus de la sérénité parnassienne, la voie qui s'ouvrait alors, c'était un baudelairianisme de basse classe, une poésie du macabre et de l'horrible, une littérature de névrose où triomphait Rollinat. Être moderne, cela signifiait des tristesses sans espoir, une complaisance dans l'ignoble, une sorte de naturalisme plus artificiel, moins sérieux que celui de Médan dans son expression du pessimisme contemporain.

Verlaine a fait, très volontairement, de ses *Poètes maudits*, un appel à une poésie de la vie et de la joie, aussi éloignée des artifices parnassiens que des déprimantes modernités du naturalisme. Contre les Parnassiens il écrit, dès la première page des *Poètes maudits :* « Rien d'impeccable, c'est-à-dire d'assommant. » Aux Naturalistes, pittoresques, intéressants, mais si étroits, il oppose la Grâce, la Force de la poésie, la grande Rhétorique traditionnelle. Comment peut-on parler d'une prétendue insignifiance de la doctrine qui se dégage des *Poètes maudits?* A une littérature toute formelle ou enfoncée dans une tristesse sans issue, il propose les vertus qui lui manquent, le jet franc, sonore, magistral, l'inspiration tour à tour tendre ou farouche, la gaîté d'un vers qui vit, qui rit, roulant des rayons de soleil, de lune et d'étoiles. Il lui apporte l'idéal d'une langue forte et simple, qui sait être brutale, mais charmante aussi, d'une forme solidement campée, aux lignes nettes et vives. Ce fut cet idéal, présenté avec bonhomie, mais nettement affirmé, qui fit le succès des *Poètes maudits*. Une seconde série, sous le même titre, formée d'études sur Marceline Desbordes-Valmore, sur Villiers et sur Verlaine lui-même, parut à partir de 1885. Elle apportait peu d'idées nouvelles, mais elle attestait la fidélité du poète à une doctrine que Symbolistes et Décadents méconnaissaient.

Verlaine a de bonne heure songé à rivaliser avec Flaubert et les Goncourt. En avril 1873, il s'occupait « d'un grand roman intime ». Il prétendait même que l'œuvre était toute faite dans sa tête. Il est mort pourtant sans l'avoir écrite. Mais il a publié un certain nombre de courtes proses, de signification surtout autobiographique, et le titre qu'il leur a donné, les *Mémoires d'un veuf*, autorise à chercher en eux la part des confidences et des souvenirs. Il avait, en 1882, obtenu de collaborer au *Réveil*. Il y plaça quatre croquis sous la rubrique de *Paris-Vivant* qu'avait inaugurée Edmond Lepelletier. Pour former son volume, il joignit à ces pièces de petits poèmes en prose dans la tradition de Baudelaire, des souvenirs personnels, des réflexions sur l'actualité. L'ensemble réuni parut sous le titre de *Mémoires d'un veuf* en 1886.

Ce livre permet de comprendre la situation de Verlaine en face du Naturalisme contemporain. D'une façon plus authentique qu'Alphonse Daudet, sa bête noire, il donne l'exemple d'un réalisme attendri et gentiment ironique, d'une vérité d'observation qui va de pair avec une sensibilité toujours éveillée. Il n'est pas brutal ni cruel. Mais il est aussi vrai que le plus exact des réalistes, et l'on a dit avec raison que dans ses évocations de la vie quotidienne et populaire, il trouve des notes plus justes, il voit et peint mieux que les meilleurs disciples de Zola.

A l'heure où il rassemble les notes de ses *Mémoires d'un veuf*, à l'exception pourtant des plus récentes, la prose de Verlaine est admirable de subtilité savoureuse, sans qu'elle se perde dans les excès qui vont bientôt y apparaître. L'écrivain adopte une langue d'allure bon enfant, où jaillissent parfois un mot d'argot, une vulgarité voulue, un mot déformé par la prononciation parisienne. Mais ces dissonances légères, suffisamment rares, n'abaissent pas la tenue de l'ensemble et lui donnent seulement plus de piquant. Un jeune écrivain belge sut dire, dès 1886, les mots définitifs sur ce curieux volume, mal compris par la critique et trop méconnu aujourd'hui. Les *Mémoires d'un veuf*, écrivit alors Émile Verhaeren, ce sont des tableaux délicats et fragiles, où flotte une douceur de résignation. Il avait compris que cette prose nonchalante, flânerie des yeux, des rêves et des pas, comme il disait, c'était encore et toujours la poésie des *Fêtes Galantes* et des *Romances sans paroles.*

La même année que les *Mémoires d'un veuf*, Verlaine publia un recueil de nouvelles, *Louise Leclercq, le Poteau, Pierre Duchâtelet.* Ces textes marquent de façon curieuse la difficulté qu'éprouve l'écrivain à donner la vie à ses personnages, à les faire agir et parler selon leur caractère propre. *Louise Leclercq* est l'histoire d'une jeune fille qui s'enfuit de la maison paternelle. Pas un instant nous ne croyons à cette aventure. Nous avons l'impression que c'est toujours de lui-même que parle l'écrivain. Cette impression n'est peut-être pas juste. Peut-être Verlaine pense-t-il moins à lui qu'il ne semble. Mais sa personnalité est si présente à son récit que nous ne pouvons un instant l'oublier. Le même défaut se retrouve dans un drame en prose, *Madame Aubin*, qu'il joignit à son volume. Le génie de Verlaine, est, comme celui de Baudelaire, trop subjectif pour qu'il puisse créer une œuvre romanesque ou dramatique vivante.

En 1889, Verlaine avait, tout prêt, un recueil de sept nouvelles. Il prévoyait le titre d'*Histoires comme ça*, et destinait le livre à l'éditeur Savine. Le projet ne fut pas réalisé, et les *Histoires comme ça* parurent d'abord dans des périodiques : elles n'ont été réunies qu'après la mort de l'écrivain, dans l'édition des *Œuvres posthumes.* On y observe les mêmes dons d'observation gouailleuse et sensible que dans les *Mémoires d'un veuf*, la même impossibilité, chez Verlaine, de s'oublier pour donner consistance à une histoire et à des personnages : sa vie, ses malheurs, ses rêves se lisent par transparence à travers une intrigue sans vigueur et les figures chimériques qu'il esquisse. Mais peut-être convient-il d'observer que ces nouvelles, si étrangères à l'inspiration naturaliste, ont le mérite, grâce à cette imprécision où se maintient volontairement l'écrivain, de laisser ouvertes des perspectives de mystère, de terreur ou de fantaisie, d'inviter le lecteur à rêver un peu.

Au mois de mai 1891, *l'Écho de Paris* accueillit une série d'articles de Verlaine sur les séjours que depuis cinq ans il avait faits dans les hôpitaux parisiens. Ils ne faisaient que développer un travail que le poète avait rédigé à la fin de 1890 et qui formait à cette date un cahier de douze pages très serrées. Après avoir paru dans le journal, ils furent réunis en volume sous un titre qui parodiait gentiment le livre de Silvio Pellico : Verlaine les appela *Mes Hôpitaux*.

Ce livre fit beaucoup pour attirer sur son auteur l'attention du grand public. On ne peut que répéter à son sujet les mêmes observations que suggèrent les *Mémoires d'un veuf* et *Histoires comme ça*. Ce sont les mêmes qualités de la phrase, la même atmosphère de bonhomie, de raillerie fine, d'ingénuité malicieuse. De même que dans les volumes précédents, la phrase, preste d'allure, variée de ton, elliptique et libre, n'est nullement désarticulée. Œuvre charmante par conséquent. Mais peut-être fait-elle toucher du doigt un aspect du caractère de Verlaine que nous ne discernons pas assez aujourd'hui, mais qui frappa certains de ses contemporains : le refus de voir en face le tragique de sa propre vie, une sorte d'enfantillage incurable qui lui permet de s'arrêter à quelque détail amusant et curieux au moment même où il est en train de glisser dans le gouffre. Le premier chapitre de *Mes Hôpitaux* offre de cette vérité un exemple frappant. Lorsqu'il en vient à évoquer les affreuses détresses de 1887, bien loin de s'attarder, il précipite son récit : « Un entracte noir absolument. Misère et presque corde. » Ces quelques mots lui suffisent, et il se hâte de passer à des images plus riantes.

Si dans *Mes Hôpitaux*, la langue restait nette et ferme, on pouvait y remarquer pourtant certaines phrases plus alambiquées que subtiles, des raccourcis excessifs, de l'obscurité. Ces défauts se multiplient dans le volume que donna l'écrivain en 1892, et qu'il intitula *Mes Prisons*. Il n'est pas question de reprocher à ces pages parues dans *le Chat Noir* les inexactitudes dont elles fourmillent : elles s'expliquent le plus souvent par les inévitables confusions d'une mémoire peu sûre. Mais ce qui est plus grave, c'est que la phrase se désarticule, devient louche et tortueuse, s'alourdit d'inutiles surcharges. Ce n'est plus la bonhomie des *Mémoires d'un veuf*. Ce sont les fausses malices d'un goguenard qui vous lance des clins d'œil et pense vous arracher un sourire complice. Qu'on lise par exemple cette phrase, semblable à tant d'autres dans ce médiocre recueil : « Je ne saurais naturellement bien les préciser en ce moment de mon âge mûr, déjà ! après tant d'années et tant d'un peu plus sérieux verrous sur ma liberté d'homme pour telles et telles causes au nombre desquelles faut-il compter précisément l'abus de la conjugaison en question plus haut... » !

Dans les *Confessions*, publiées en volume en 1895, on ne trouve plus, ou plus guère, cette désarticulation de la phrase, et ces enchevêtrements de pensée. On y sent, il est vrai, l'intention de tirer à la ligne, de profiter de toutes les occasions pour allonger le récit : elle s'explique trop bien, si elle ne s'excuse pas, lorsqu'on apprend que l'auteur vendit, en juin 1894, à Édouard Dujardin, ses *Confessions* inédites à raison de cinquante centimes la ligne. Verlaine emploie trop souvent aussi le tour anglais qui entasse entre l'article et le nom des adjectifs et des adverbes. Mais dans leur allure capricieuse et lente, les *Confessions* restent un livre attachant, et l'on regrette qu'elles s'arrêtent trop vite, aussitôt après les événements de la Commune.

On y sent, de la part de l'écrivain, la volonté de traduire avec des mots, moins la réalité matérielle des événements que le reflet chatoyant, en son esprit, des lieux et des hommes, des lectures et des aventures dont sa vie fut tissée. Il a parlé d'une « lutte contre des minuties à exprimer », et des « nuances presque infinitésimales » qu'il lui fallait rendre. C'est dans ce sens que les *Confessions* doivent être lues et goûtées.

Ces volumes de prose ne sont qu'une partie de l'œuvre écrite. Celle-ci est considérable. Elle se répartit en récits qui sont presque toujours des souvenirs, des impressions anciennes, ou en courtes études critiques. Des croquis de Belgique, des épisodes datant de Coulommes ou des dernières années à Paris, des descriptions de ses divers logis de la Rive Gauche. Et d'autre part des articles sur les écrivains contemporains, pleins de traits amusants, de malices et de gamineries, mais aussi d'idées sérieuses et nettement affirmées : les meilleures sont probablement les biographies qu'il composa pour la collection des *Hommes d'Aujourd'hui*. Verlaine n'est pas un grand critique, car il est insoucieux et peut-être incapable de développer une idée de façon systématique. Mais une incise, un mot rapide, une épithète heureuse suffisent à prouver qu'il a senti et compris le fort et le faible des œuvres et des hommes.

CONCLUSION

Dans les pages qui précèdent on s'est efforcé de rapporter avec exactitude les événements successifs qui marquèrent la vie de Verlaine et de décrire le détail de ses œuvres. Mais notre esprit est ainsi fait qu'il ne se contente pas de ces descriptions et de ces récits. Peut-être même ne commencent-ils à présenter pour lui d'intérêt que s'ils l'amènent à une vue d'ensemble où chaque détail est mis en place, posé dans une perspective unique, si du même coup ils lui rendent possible un jugement de valeur.

Que l'homme, en Verlaine, soit par sa complexité plus difficile à comprendre qu'aucun autre, c'est ce qui apparaît avec évidence lorsqu'on lit ses récents biographes. On le dit faible de caractère. Mais cette faiblesse s'allie à une ténacité dure, à une rigueur de l'esprit qui le pousse aux conséquences extrêmes de ses opinions et lui donne plus d'une fois l'allure d'un doctrinaire et d'un fanatique. Lepelletier nous apprend que dans le groupe parnassien il poussait plus loin que tout autre les exigences de l'impassibilité. De même, tandis que ses amis se contentaient d'être républicains, il fut hébertiste et donna avec plus de chaleur qu'aucun d'eux son adhésion à la Commune. Mais lorsqu'il se fut converti, il se porta jusqu'aux violences les plus aveugles dans ses diatribes contre l'esprit moderne et la démocratie.

On dit qu'il était incapable de se fixer, de tenir longtemps une résolution précise. Il est au contraire étonnant de fermeté et de persévérance dans la ligne qu'il a adoptée. Jusqu'en 1874 il tâtonne. Mais à partir de cette date, c'est-à-dire à partir de sa trentième année et jusqu'à sa mort, il se tient obstinément au choix qu'il a fait pour toujours. Stickney, Bournemouth, Rethel, Juniville voient passer sur leurs chemins cet homme au visage de contemplatif qui marche avec une gravité un peu forcée, les mains croisées sur la poitrine et que les élèves de Rethel appellent Jésus-Christ. Même après 1885 il change moins qu'on ne pense. Qu'on lise les propos que Byvanck a recueillis en 1891, qu'on lise les vers que le poète a composés en 1893 quand la mort entrevue a ranimé l'ancienne ferveur. Dans sa fidélité pratique au choix qu'il a fait jadis, Verlaine a pu faiblir. Mais l'option est restée la même.

De même les coups de tête apparents, les prétendues impulsions qui semblent mener sa vie dissimulent le plus souvent des projets dûment médités. Il est probable qu'en juillet 1872 son départ avec Rimbaud était préparé. Il est plus probable encore que son départ de Londres en juillet 1873 se fit de connivence avec sa mère. Son apparente instabilité après 1875 est un leurre. S'il quitte Stickney, c'est qu'il y travaille à des conditions dérisoires, et quand il s'en va, il y a six mois qu'il médite son départ. Il quitte Boston, non pas sur un coup de tête, mais parce qu'il a été trompé sur le travail qui l'attendait et que la situation n'est pas tenable. Pendant toutes ces années, son « instabilité » ne se distingue en rien de celle des professeurs de l'enseignement privé, et cette instabilité, plus grande que celle des fonctionnaires, n'est pas d'autre nature et ne s'inspire pas de considérations moins raisonnablement positives.

Ne disons donc pas trop vite que Verlaine est faible

et instable. Disons moins encore qu'il a le goût de l'aventure. Elle est entrée dans sa vie malgré lui. A y bien regarder, il semble certain qu'en juillet 1872 il n'avait rien d'autre en vue que de passer quelques semaines à Fampoux avec Rimbaud. C'est malgré lui qu'il passa en Belgique, puis en Angleterre. C'est malgré lui que son ménage s'est brisé. Il ne rêve que de situation fixe et paisible, un poste de fonctionnaire, un petit lopin de terre que l'on exploite loin de Paris, loin des gens de lettres et des faux amis. Quand il revient dans la capitale avec Lucien Létinois, ceux qui l'approchent sont étonnés de la sagesse de sa conduite et de ses propos. Il fait l'éloge du bon Rollin en prenant paisiblement un rhum à l'eau!

L'erreur que nous commettons trop souvent lorsque nous entreprenons de comprendre et de juger une vie, c'est de croire qu'elle est tout entière voulue, qu'elle a été envisagée dans son ensemble et acceptée, ou, comme on dit en jargon moderne, « assumée ». La part de l'involontaire, des enchaînements, des servitudes est grande. Chez Verlaine elle est écrasante. Toute sa vie est dominée par un petit nombre de gestes qu'il a faits, qu'il a eu tort de faire, dans lesquels il est probable que revenu à son bon sens il ne se reconnaissait pas, et qui n'en ont pas moins pesé sur toute son existence de façon implacable. Il a eu beau, pendant huit ans, opérer un admirable redressement, ni sa femme, ni la société n'y ont voulu croire. Il n'a pas retrouvé de foyer, ni de situation sociale. Si les historiens, au lieu de s'amuser à mettre en relief les variations de sa vie, avaient essayé d'en saisir les préoccupations fondamentales, ils se seraient aperçu que de 1875 à 1883 l'effort de Verlaine a été dirigé par l'ambition de restaurer son foyer et de se refaire un état. Mais les servitudes de sa situation jouèrent à plein : il n'avait pas de grades universitaires, il était sans expérience de l'agriculture, et la seule voie pratiquement raisonnable, l'Hôtel de Ville, lui était fermée parce qu'il y avait, dans son dossier, des extraits du jugement de Bruxelles et de la sentence de séparation.

Verlaine n'a donc pas choisi, il n'a pas voulu la misère des dernières années. Elle lui a été imposée. Et de nouvelles servitudes l'y ont maintenu d'abord : l'effroyable dénuement où il s'est trouvé plongé en janvier 1886, et l'état de sa santé. Il faut ne rien savoir de la vie des gens de lettres au XIXe siècle pour ignorer dans quelles difficultés se débattaient ceux d'entre eux qui n'avaient pas de ressources assurées et qui devaient par conséquent subir les dures conditions des directeurs de périodiques et des éditeurs.

La situation où Verlaine se trouve enfoncé en 1886 est exactement celle de Barbey d'Aurevilly à un moment de sa vie, et plus exactement encore celle de Villiers de l'Isle-Adam. Mais ce qui distingue Verlaine, c'est le sérieux et la ténacité de son effort pour sortir de la misère. Qu'on le compare à Léon Bloy. Quoi qu'on pense de celui-ci, ses amis mêmes étaient obligés de déplorer sa paresse. Verlaine au contraire a voulu rétablir une situation en apparence désespérée, et malgré l'état de sa santé il y a réussi en quatre ans. Dès 1890 il gagne assez d'argent pour n'avoir plus de crainte sérieuse. Il n'accepte sa déchéance qu'à partir de 1891 : mais il est alors, physiquement, un homme fini.

Lorsqu'on a écarté certaines erreurs traditionnelles sur son caractère, et la part une fois faite des servitudes qui pesèrent sur lui, il reste à découvrir les traits qui définissent sa physionomie. Après avoir recueilli les divers témoignages de ceux qui l'ont vraiment connu et longuement fréquenté, une conclusion semble s'imposer : il était dans le courant de sa vie un homme doux, paisible, délicat, d'une correction rare et volontiers raffinée. C'est l'opinion de Lepelletier, de Delahaye, c'est l'impression qu'il fit d'abord à Mathilde, c'est la réputation qu'il avait parmi les gens de lettres. Ces qualités survécurent jusque dans les dernières années, et Rachilde, Cazals, Le Rouge, Raynaud sont d'accord sur ce point. Tout portrait de Verlaine qui ne met pas au premier plan cette douceur, cette correction, cette délicatesse, doit être considéré comme une caricature.

Ce n'est pas, naturellement, qu'il soit sans défaut. Mais ses travers ne sont pas ceux que la tradition a le mieux retenus. Il est gourmand comme un enfant. Il est un peu plus que secret, il est fermé et, comme on dit vulgairement, cachotier. Enfin il n'est pas brave et préfère regarder les autres se battre que courir des risques lui-même. Ces deux derniers défauts atteignent parfois des dimensions fâcheuses. A force d'être secret, il ment. Les lettres où il parle de son ménage et de Rimbaud sont écrites, non pour dire la vérité, mais pour la cacher. Ceux qui ne l'aiment pas disent qu'il y avait chez lui tout un côté « roublard ». Le mot est affreusement vulgaire. Il n'est pas injuste, à condition de bien voir que Verlaine trompe, non pour le plaisir de tromper, mais pour se protéger, pour refuser aux autres un regard sur son secret. De même, à force de manquer de courage, il est lâche et cette lâcheté fut parmi les causes de ses malheurs. Le Verlaine qui s'enfuit en Belgique et traîne en Angleterre avec Rimbaud est un Verlaine qui a peur. Les historiens qui relèvent chez lui de si fréquents désaccords entre les professions de foi volontiers héroïques et l'excessive timidité du comportement ne manquent pas, hélas, d'arguments pour y voir une nouvelle preuve de sa fausseté.

Mais ce n'est pas parce qu'il est gourmand, d'un naturel secret et timoré, ce n'est pas pour ces raisons que l'existence de Verlaine fut marquée de cruels désastres. C'est parce qu'en certains moments de crise, de véritables fureurs démentielles venaient bouleverser cette vie d'ordinaire paisible, emportaient les bonnes résolutions, ruinaient les efforts de rétablissement. Ce que nous savons de sa vie prouve qu'il y eut des crises de cette sorte en 1869, en 1872, en 1885. Il est naturellement possible et probable qu'il y en eut d'autres. Philomène avait sans doute ses raisons de l'appeler « l'Infernal ».

Sur la nature de ces crises, ne nous faisons pas illusion : nous n'en savons que peu de chose. Elles étaient ordinairement liées à l'ivresse, mais on a l'impression qu'elles n'en étaient pas simplement l'effet. Il semble plutôt que Verlaine libérait par l'action de l'absinthe les démons qui l'habitaient. Faudrait-il croire que ces fureurs traduisaient la violence d'un désir exaspéré par les obstacles rencontrés? Naissaient-elles plutôt d'une angoisse, et de cette sorte de vertige qu'éprouvent certains hommes lorsqu'ils ont le sentiment qu'ils ont perdu ou qu'ils vont perdre l'objet qui fait pour le moment toute leur joie? Ces folies ne serait-elles rien d'autre, chez lui, qu'une peur, une peur atroce, de se retrouver seul devant le gouffre de la vie? On croirait plus volontiers à cette seconde explication. La crise de 1869 semble suivre la mort du père et celle, toute récente, d'Elisa Moncomble. Certains témoignages établissent ce trait caractéristique que Verlaine ne tolérait pas la solitude, qu'il avait besoin de sentir près de lui une présence. Et l'on observera que le drame de Bruxelles s'expliquerait mal par les emportements du désir et s'éclaire bien mieux par la nouvelle que Rimbaud laissera désormais seul son ami.

Devant ce long effort d'un homme pour construire sa vie sur un plan d'ordre et de clarté, devant cette ténacité à rebâtir l'édifice chaque fois qu'une tempête l'avait jeté à bas, on sent l'iniquité de certains jugements. On comprend qu'il est impossible de mépriser cet homme malheureux et que, bien plus justement, il mérite notre admiration. Pourquoi faut-il pourtant que l'on discerne, même dans son effort vers le bien, quelque chose de louche et de trouble? Lorsqu'il s'humilie, lorsqu'il avoue qu'il est un pécheur, il reste on ne sait quoi de suspect, et qui fait penser à Tartuffe. Au même moment où il se vante d'être devenu « toute douceur envers les autres, toute soumission à l'Autre » (et cet autre, c'est Dieu), il écrit à propos de la malheureuse Mathilde : « Il faut que cette petite masque ravale son crachat. » Il ne paraît pas qu'il se souvienne encore de ses odieuses violences, il se ment peut-être à lui-même, et en tout cas il nous ment. Ses efforts, nous le savons maintenant, ont été vrais, et sincères ~~ses convictions.~~ Mais en même temps il y a eu pose et parade. Comment un homme un peu lucide peut-il écrire : « Moi, toute tendresse et toute naïveté... » et quelle excuse trouver à l'ancien époux de Mathilde, à l'ami de Rimbaud, à l'auteur d'*Hombres* et de *Femmes*, lorsque dans ses dernières années il parle « de cet esprit de sérieux dont, ose-t-il écrire, je me suis depuis lors rarement écarté »!

Le trait essentiel, dans la psychologie de Verlaine, est probablement là. Car les violences qui furent à l'origine de ses malheurs restent pour ainsi dire extérieures, elles le maîtrisent, elles l'emportent, et lorsque l'orage est passé, il contemple, sans bien les comprendre, les dégâts. Mais que son effort vers le bien ne puisse se dégager d'un besoin de poser, de s'étaler devant les autres, voilà qui le définit et révèle sa vraie nature, sa loi la plus secrète. C'est que, chez lui, tout est référence aux autres. La vie morale s'est présentée à lui, dès son enfance, comme un ensemble de prescriptions affirmées par ses parents, par la famille de Paliseul, par les prêtres. Il en est resté là toute sa vie. Quand il s'est éloigné de ces principes, il a été un révolté, avec tout ce que ce mot implique de mauvaise conscience. Quand il y est revenu, ce fut pour s'incliner devant les règles dont il avait tenté en vain de se dégager. Enfant un moment révolté, enfant de nouveau soumis, il n'a jamais cessé d'être un enfant. Sa conscience puérile se cherche dans le regard des autres, elle essaie de se conformer à l'image complaisante qu'elle veut lire en leurs yeux.

Que Verlaine ait été toute sa vie un enfant, bien des témoins l'ont observé. Lantoine admirait son regard « merveilleusement enfantin ». Byvanck notait l'enfantine mobilité du visage, Cazals dessinait en des croquis amusants les poses gamines de son vieil ami, et Léon Bloy écrivait à l'abbé Dewez : « Vous ne pouvez vous faire une idée de l'enfantillage de ce grand malheureux. » Il faut en prendre son parti. Ce Verlaine au visage fermé, au regard chargé d'une autorité majestueuse, qui pose devant les photographes, c'est Verlaine tel qu'il veut que nous le voyions, tel qu'il prétend lui-même se voir. On ne peut pas dire qu'il nous trompe puisqu'il veut être cet homme-là. Mais il ne l'est pas et ne le deviendra jamais. C'est cet enfantillage essentiel qui explique que tant d'efforts, si vrais, si tenaces, si courageux, n'aient jamais pu se dégager d'une ambiguïté inquiétante et qu'ils aient donné si souvent l'impression de n'être rien que parade et faux-semblant.

Si l'homme, en Verlaine, est difficile à comprendre, le poète et l'artiste ne sont pas non plus sans présenter une incertitude qui se trouve dans les ouvrages consacrés à son œuvre. Il a été considéré pendant quelques années comme le plus grand des poètes vivants. Il reste sans doute l'un des plus lus, l'un des rares poètes qui aient obtenu une audience générale dans notre pays. Mais son influence a peut-être été nulle sur le développement de la poésie française. Bien plus que lui, Mallarmé et Rimbaud ont dominé les cinquante ans qui ont suivi sa mort. Valéry a prolongé la leçon du premier, les surréalistes ont accaparé l'héritage du second. Du côté des doctrinaires, la position d'hostilité adoptée à son endroit par Charles Maurras a déterminé chez un grand nombre une attitude de dédain. Si André Breton abandonne l'auteur de *Sagesse* aux petites filles de province et ne le distingue pas de Samain, tel notoire maurrassien lui refuse le droit de figurer dans une anthologie de la poésie française. Le paradoxe, à coup sûr, est violent et trahit un parti pris. Mais il n'est que la forme extrême d'une réticence que l'on sent générale. On ne peut encore dire qu'il soit chose décidée que Verlaine fut un grand poète.

On devrait pourtant n'en pas douter. Verlaine a cette première et rare vertu de disposer des ressources de la langue avec une maîtrise souveraine. Il ignore cette difficulté d'expression que l'on devine chez Vigny, dans les pièces les plus anciennes de Baudelaire et que l'on peut observer en certains poèmes de Mallarmé. Il a commis de mauvais vers : ce ne fut jamais par pauvreté des moyens, mais par excès d'audace dans le raccourci, ou dans le raffinement, ou enfin dans la dureté que volontairement il s'imposait. S'il est vrai que son inspiration se « dépoétisait » parfois, et de plus en plus souvent avec les années, elle reste jusqu'au bout curieuse et fine.

Certains lui reprochent d'être seulement un gentil poète. Jules Romains, pour exalter son maître Moréas, a dit dans *les Hommes de bonne volonté :* « Comme la détresse de Verlaine, à côté, paraît gentille et anecdotique ! » Telle quelle, cette phrase est pure injustice. Moréas, ni personne, n'a écrit de vers plus poignants, plus cruels, plus forts que certains des poèmes de *Sagesse*. Il est très vrai que l'inspiration, chez Verlaine, n'a pas constamment la tension des *Fleurs du Mal*, qu'on discerne souvent chez lui, en ses moments d'apaisement, une vision tendre et souriante de la vie, qu'il lui faut des orages et des vertiges pour s'élever jusqu'à un certain sublime de l'émotion. Mais il suffit qu'à certains moments éclatent dans son œuvre quelques cris bouleversants pour que soit avouée sa grandeur.

Si ces très simples vérités ne sont pas davantage reconnues, c'est que trop souvent nous ne jugeons du génie de Verlaine que sur les recueils du début. Il n'est pour trop de gens rien d'autre que l'auteur des *Fêtes Galantes* et des *Romances sans paroles*. Sa réputation reste prisonnière de la merveilleuse réussite de ces œuvres exquises. On ignore qu'au printemps de 1873, à l'heure où il venait à peine d'achever les *Romances*, il ne s'en contentait déjà plus et rêvait d'une œuvre plus difficile et plus haute.

Qu'on y regarde bien, la fortune de Verlaine est liée à celle de l'impressionnisme, et les reproches que lui font les critiques sont exactement les mêmes que nos contemporains font aux peintres de l'école impressionniste. On prétend qu'il ne dépasse pas l'impression éphémère et subjective, qu'il se borne à la noter, qu'il reste incapable de s'élever plus haut. Mais ce grief est faux, d'une fausseté positive. Car précisément, et nous l'avons vu, l'auteur de *Sagesse* s'est arraché à l'impressionnisme, il en a très tôt discerné les insuffisances, et dès 1873 il a entrepris de retrouver le grand lyrisme romantique, où le drame de notre destin se déroule, porté par un large flot d'images.

Voyons d'ailleurs où tendent, chez certains détracteurs de Verlaine, les reproches qu'ils font à son œuvre. Le grief qu'ils nourrissent contre lui, c'est d'avoir porté atteinte à l'intelligence, d'avoir péché contre Minerve, d'avoir livré notre poésie à tous les faux prestiges d'un intuitionnisme obscur. Mais il n'est pas vrai que la valeur d'une œuvre de poète se mesure aux satisfactions qu'elle donne à l'intelligence, et Verlaine peut être un très grand poète sans nous apporter autre chose que l'authentique expression de son âme merveilleuse et tourmentée. Parce qu'il portait en lui tout un monde de rêves, la nostalgie des paradis perdus, parce que sa vie fut un long drame de l'angoisse, de la chute et de l'espérance, son œuvre vient émouvoir en nous, non point les régions superficielles qu'éclaire la froide lumière de l'intelligence, mais cette zone, la plus obscure à la fois et la plus vraie de nous-mêmes, où nous affrontons notre propre vie, dans le sentiment immédiat et pur de sa présence.

Quelles erreurs de fait, au surplus, dans les interprétations de Verlaine qui le lient à certaines écoles poétiques! Comme il est seul! Va-t-on le déclarer symboliste? Mais on ne trouve pas chez lui d'infantes aux lourdes chevelures, ni lacs de cristal, ni cygnes mystérieux. Point de chairs vénéneuses, ni de fleurs aux parfums qui tuent. Il lui arrive d'écrire quelques vers pour la *Revue wagnérienne.* Mais il est le premier à en rire : « un sonnet vaguement loufoque... », écrit-il. Va-t-on lier son œuvre à l'École décadente? Mais il reste étranger absolument à Schopenhauer, et se moque des pessimistes contemporains. Nulle philosophie ne lui ferait admettre que la vie est illusion et que l'homme ne soit rien qu'un reflet de l'Idée. Il verrait en cette métaphysique de « l'allemandisme », comme il disait.

Il est en effet plus purement français qu'aucun autre poète. Il vit à une époque où l'on se prend d'enthousiasme, chez nous, pour Ibsen, pour Tolstoï, pour Dostoïewski. Verlaine ne comprend rien à cette vogue. Il a tort d'ailleurs, et ce n'est pas pour l'en féliciter que l'on note ici son attitude. C'est pour montrer à quel point il reste étranger à l'esprit cosmopolite, qui est l'un des aspects les plus certains de la Décadence, au sens habituel de ce mot.

Ce qu'il faudrait dire plutôt, c'est qu'il n'a pas résisté avec assez de fermeté aux entraînements d'une époque de confusion. On parle de l'influence qu'il eut sur la jeune génération de 1885. On ferait bien aussi d'étudier l'action qu'elle exerça sur lui, sur sa langue, sur sa prosodie. Si ses phrases, à l'époque de *Bonheur*, se désarticulent, si son vocabulaire pousse très loin le mépris des bons principes, c'est parce qu'il se laisse entraîner et qu'étant le chef des jeunes poètes, il croit que son devoir est de les suivre. Ce qui prouve qu'il n'avance dans cette direction qu'à son corps défendant, c'est qu'en 1892, lorsqu'il a rompu avec ses amis, déserté les chapelles, renoncé à diriger une coterie, sa poésie se redresse et retrouve la netteté pure des lignes qu'elle avait eue avant 1882.

Il a joué son rôle dans la dissolution des formes traditionnelles de notre poésie. Mais tous les grands renouvellements sont à ce prix. La Pléiade a commencé par tourner en dérision des formes lyriques qui se recommandaient d'une tradition séculaire. La première génération romantique a d'abord rejeté les tropes du lyrisme classique, et tout ce matériel de mots et de tours auquel les contemporains avaient fini par lier l'idée de poésie. Et c'est parce qu'une nouvelle rhétorique était née, parce que de nouvelles routines s'étaient imposées à la vision du poète, que Verlaine a compris l'urgence d'un nouvel effort de libération.

L'essentiel de son œuvre n'est pas, d'ailleurs, dans ses innovations prosodiques et dans l'assouplissement des règles. S'il s'attache à des rythmes nouveaux, s'il dispose librement des rimes, s'il fait parfois violence à la langue, ce n'est pas impuissance à supporter une discipline, c'est parce qu'il a compris, mieux que d'autres, que la poésie est vibration de l'âme, qu'elle se loge en l'homme plus profondément que l'intelligence, et que les structures rationnelles ne peuvent qu'entraver l'élan spirituel.

Il ne faisait en cela que reprendre une des idées maîtresses du Romantisme. Une idée que les Novalis, les Tieck, les Hölderlin avaient saisie d'emblée, mais qui ne s'imposa chez nous que trop lentement. Des *Méditations* à *la Chute d'un ange*, des *Odes* de Victor Hugo aux volumes de sa dernière période, nous assistons à la découverte progressive d'une poésie qui libère l'esprit de l'homme et lui rend l'intuition directe de l'existence dans sa plénitude et son élan. Nodier, Nerval et, plus que tous, Baudelaire avaient compris que le poète ouvre les portes du rêve et pénètre dans les régions mystérieuses que la raison n'éclaire pas. Verlaine s'est mis à la suite de ces précurseurs, il a poussé plus loin, mais dans la même ligne. Et son mérite est sans doute d'avoir porté dans la langue et la prosodie l'application de leurs principes. On peut, sans être injuste envers Nerval et Baudelaire, prétendre que chez eux les moyens d'expression restent dans une trop large mesure traditionnels et que, porteurs d'une nouvelle conception de l'œuvre poétique, ils n'ont pas su trouver les formes nouvelles qu'elle requérait. Verlaine a mieux compris la nécessité de ce renouvellement.

Telle est la place qu'il occupe dans l'histoire de notre poésie. Loin qu'elle soit seulement la dernière manifestation d'une poétique épuisée, comme il devient un lieu commun de le dire aujourd'hui, il faut voir en son œuvre une étape sur la route qui mène, dans les limites du XIXe siècle, de la rhétorique rimée de l'époque impériale à l'authentique poésie de Claudel et d'Apollinaire. Vue d'historien, au surplus, et qui par conséquent a le tort de voir plutôt dans cette œuvre la signification que la valeur. De celle-ci, quelle preuve donner à ceux qui refusent de l'admettre? Et que dire d'autre aux esprits de bonne volonté, sinon qu'ils reprennent les pages merveilleuses où le poète des *Fêtes Galantes* et des *Romances sans paroles*, où le prisonnier de Mons, où l'humble solitaire de Stickney a dit ses rêves, sa misère, ses espérances?

BIBLIOGRAPHIE

I. LES ÉDITIONS

On se bornera à signaler ici :

1. pour l'œuvre totale, vers et prose, l'édition des *Œuvres complètes* en cinq volumes et des *Œuvres posthumes* en trois volumes, chez Messein, Paris.

2. pour l'œuvre en vers l'édition de la *Pléiade*, chez Gallimard. Ce volume a l'avantage de fournir toutes les indications actuellement connues sur la date de chaque pièce, un relevé des variantes imprimées et même, parfois, des variantes manuscrites. Mais l'édition de *Bonheur* par H. de Bouillane de Lacoste a révélé à quel point les textes imprimés de Verlaine fourmillent de fautes et démontre l'absolue nécessité d'un retour aux autographes.

3. l'édition des *Œuvres complètes*, 2 vol., au Club du meilleur livre, 1959-1960. Le texte, établi par le regretté H. de Bouillane de Lacoste, avec une introduction de O. Nadal, est présenté avec d'excellentes études et notes de Jacques Borel.

Nous possédons des éditions critiques d'un petit nombre de recueils. Trois de ces éditions offrent le modèle de ce qu'il est urgent de faire pour l'ensemble de l'œuvre. C'est l'édition de *Bonheur* par H. de Bouillane de Lacoste, celle des *Poèmes Saturniens* de J.-H. Bornecque, et, du même, celles des *Fêtes Galantes*, 1960, librairie Nizet, Paris.

La *Correspondance* a été publiée en trois volumes par Ad. van Bever, chez Messein. Le texte en est correct, mais beaucoup de lettres sont mal datées et il reste à réunir de très nombreuses lettres inédites ou dispersées dans les périodiques.

M. Georges Zayed a édité, avec les commentaires les plus savants, les *Lettres inédites de Verlaine à Cazals*, Genève, 1957.

II. LES ÉTUDES BIOGRAPHIQUES

Sur la vie de Verlaine, deux témoignages dominent tous les autres : celui d'Edmond Lepelletier, *Paul Verlaine, sa vie, son œuvre*, Mercure de France, 1923, et celui d'Ernest Delahaye, *Verlaine*, 1919. Delahaye a publié également *Souvernirs familiers à propos de Verlaine, Rimbaud et Germain Nouveau*, 1925. Malgré des lacunes trop faciles à expliquer, ce sont des œuvres de bonne foi, écrites par des hommes qui avaient intimement connu le poète.

A ces témoignages on ajoutera, pour certaines époques de la vie :

Mme Delporte, ex-Verlaine, *Mémoires de ma vie*, 1935.

F.-A. Cazals et G. Le Rouge, *Les derniers jours de P. Verlaine*, 1923.

Ch. Donos, *Verlaine intime*, 1898.

Ernest Raynaud, *Les portraits de Verlaine, Mercure de France* du 15 août 1906.

La *Nouvelle Revue Française* du 1er février 1943 a publié des textes importants tirés des dossiers de la police. Ils ont été ensuite réunis en plaquette.

Pour l'iconographie verlainienne, on consultera surtout F. Ruchon, *Verlaine, documents iconographiques*, Genève, 1947. L'édition des *Œuvres complètes* du Club du meilleur livre offre une illustration considérable de même que l'édition des *Lettres de Verlaine à Cazals*, publiée par G. Zayed, signalée plus haut. Le recueil *Du côté de Verlaine et de Rimbaud*, 1949, reproduit les dessins conservés au fonds Doucet.

Parmi les études consacrées à Verlaine, la plus connue est le *Verlaine tel qu'il fut* de François Porché (Flammarion). Le talent du biographe est grand. Mais il ne suffit pas de dire qu'il a fait de son livre une œuvre de dénigrement. Il faut surtout comprendre que dans son ambition d'atteindre le grand public par un récit haut en couleurs, François Porché a systématiquement déformé la vérité, forcé les traits, visé à un pathétique de mauvais aloi. Pour ne prendre qu'un exemple, il ne tient aucun compte des témoignages sur la mort de Verlaine et la présente sous un jour tout fantaisiste, mais qui, dans son esprit, fera sur le lecteur une impression plus forte que la vérité. Lorsqu'il s'agit d'abaisser Verlaine, il prend avec les textes certaines libertés qui frisent l'imposture. J'en ai donné un exemple édifiant dans un article de *la Grive*, *A propos d'une citation* (juin 1945).

Les deux ouvrages de Marcel Coulon, *Au cœur de Verlaine et de Rimbaud*, 1925, et *Verlaine poète saturnien*, 1929, s'inspirent d'une sévérité excessive. Mais ils ont apporté des informations précieuses et restent utiles à consulter.

Si notre connaissance de Verlaine a été renouvelée depuis 1930, c'est grâce à un certain nombre de monographies. En voici les plus notables :

Sur la famille paternelle de Verlaine et ses attaches ardennaises, le livre de Léon Le Fefve de Vivy, *Les Verlaine*, Bruxelles, 1928.

Sur la famille maternelle, les Dehée d'Arras et de Fampoux, nous n'avions jusqu'ici que quelques vagues données. Nous sommes maintenant bien renseignés, grâce aux recherches que M. P. Bougard, archiviste en chef du Pas-de-Calais, a bien voulu faire en vue du présent ouvrage et dont les résultats ont été recueillis dans la *Revue des Sciences humaines*, avril-juin 1952.

Sur les études de Verlaine au lycée Bonaparte, toutes les données sont reproduites dans un article de Léon Lemonnier, *Grande Revue*, 1924, 3e volume.

Sur les séjours en Angleterre, il existe un travail remarquable de M. Underwood, *Verlaine et l'Angleterre*, thèse soutenue devant la Faculté des Lettres de Lille en février 1950 et publiée en 1956 par la librairie Nizet. On se reportera également aux articles suivants de M. Underwood :

Chronologie des lettres anglaises de Verlaine, *Revue de Littérature comparée*, juillet-septembre 1938.

Chronologie verlainienne, *Revue d'histoire de la philosophie*, Lille, janvier 1938.

Le Cellulairement de Paul Verlaine, *Revue d'histoire littéraire*, juillet-septembre 1938.

Verlaine et Létinois en Angleterre, *Mercure de France*, 1er juin 1938.

M. Underwood a publié un *Carnet personnel de Verlaine* dans la *Revue des sciences humaines*, 1955.

Le livre de G. Vanwelkenhuysen, *Verlaine en Belgique*, contient des documents inédits et de précieux témoignages, surtout sur les voyages du poète devenu conférencier.

III. LES ÉTUDES SUR L'ŒUVRE

Ad. van Bever et Maurice Monda ont publié chez Messein, en 1926, une *Bibliographie et iconographie de Paul Verlaine*, qui donne un tableau complet des publications de Verlaine, pièces parues dans les périodiques et volumes en librairie. Ils ont pourtant laissé échapper la publication de six pièces des *Fêtes Galantes* dans *l'Artiste*.

Le *Verlaine* de Pierre Martino, 1924, a été longtemps la meilleure étude d'ensemble sur Verlaine. Nous disposons maintenant de deux ouvrages considérables : G. Zayed, *La formation littéraire de Verlaine*, Paris, 1952, et Cl. Cuénot, *Le Style de P. Verlaine*, Paris, 1963.

Sur les problèmes que pose *Cellulairement*, on consultera l'article d'E. Dupuy, *Etude critique sur le texte d'un manuscrit de Paul Verlaine*, *Revue d'histoire littéraire*, 1913, et en sens contraire celui de M. Underwood cité plus haut.

Sur l'influence de la poésie anglaise dans l'œuvre de Verlaine, la thèse de M. Underwood apporte le résultat de recherches minutieuses et étendues. M. Underwood a mis en lumière ce que Verlaine doit à la liturgie anglicane.

Verlaine a été étudié du point de vue de la théologie catholique par Morice, *Verlaine, le drame religieux*, 1946.

Le petit livre de Jean Richer, *Paul Verlaine*, dans la collection *Poètes d'aujourd'hui*, Paris, 1953, contient, avec des inédits, d'excellentes analyses.

TABLE DES MATIÈRES

IMPRIMERIE BERGER-LEVRAULT, NANCY — 778 127-11-1965

DÉPOT LÉGAL : 4e TRIMESTRE 1965